Le choix de
Savannah

Sophie Girard

Le choix de Savannah

ÉDITIONS DE MORTAGNE

Catalogage avant publication de
Bibliothèque et Archives nationales du Québec et
Bibliothèque et Archives Canada

Girard, Sophie, 1973-

Le choix de Savannah

(Tabou ; 4)

Pour les jeunes de 14 ans et plus.

ISBN 978-2-89074-957-3

I. Titre II. Collection : Tabou ; 4.

PS8563.I725C46 2010   jC843'.6   C2010-941020-3
PS9563.I725C46 2010

Édition
Les Éditions de Mortagne
C.P. 116
Boucherville (Québec) J4B 5E6

Distribution
Tél. : 450 641-2387
Télec. : 450 655-6092
Courriel : info@editionsdemortagne.com

Dépôt légal
Bibliothèque et Archives Canada
Bibliothèque et Archives nationales du Québec
Bibliothèque Nationale de France
3ᵉ trimestre 2010

ISBN 978-2-89074-957-3

3 4 5 6 – 10 – 15 14 13

Imprimé au Canada

Nous reconnaissons l'aide financière du gouvernement du Canada par l'entremise du Programme d'aide au développement de l'industrie de l'édition (PADIÉ) et celle du gouvernement du Québec par l'entremise de la Société de développement des entreprises culturelles (SODEC) pour nos activités d'édition. Gouvernement du Québec – Programme de crédit d'impôt pour l'édition de livres – Gestion SODEC.

Membre de l'Association nationale des éditeurs de livres (ANEL)

ASSOCIATION NATIONALE DES ÉDITEURS DE LIVRES

Conseil des Arts du Canada   Canada Council for the Arts

Pour tous ceux et celles qui ont un choix difficile à faire,
puissiez-vous faire celui de vous respecter ;
c'est le seul qui saura vous apaiser
si l'incertitude vient vous tourmenter.

La rencontre

La lumière du jour qui se fait plus présente et le réchauffement de la température offrent un répit après un printemps frisquet. Les rayons de soleil se font plus chauds et le vent qui nous fait trembler de si longs mois annonce maintenant un changement de cap ; il se couvre de douceur. J'ai toujours aimé le vent, je le regarde face à face pour me purifier de tous mes tracas. J'ai besoin de cet air, j'aime la nature et tout ce qu'elle dégage.

Aujourd'hui, c'est une journée spéciale et j'ai besoin de cette solitude pour m'y préparer. Bien assise près de l'étang, je goûte le calme de ce point d'eau secret ; unique endroit au monde où je peux savourer les bienfaits d'être seule parfois.

Le brun de mes longs cheveux se confond avec le tronc des arbres et le pers de mes yeux avec les plantes qui m'entourent. Seule la pâleur de mon teint contraste avec les beautés de la nature. Sur le point de m'étendre, j'entends des pas, plusieurs bruits de pas et soudain une foule envahit mon espace. Mes amies, ma famille, mes tantes et plein d'autres personnes inconnues. Toutes en même temps elles s'exclament sans arrêt : « Bonne fête Savannah ! » Leurs cris deviennent un brouhaha jusqu'à ce qu'un orage s'abatte sur nous. Alors là c'est la panique ! Je veux crier pour qu'elles me laissent tranquille mais rien ne sort ; je veux courir pour quitter cet endroit mais je n'arrive pas à bouger. La panique me gagne et je respire difficilement. Je tombe sur le sol alors que tout le monde m'encercle... « Laissez moi respirer » que je pense avant de perdre connaissance...

Je me réveille en sursaut, tendue et incrédule. Je regarde autour de moi, je suis dans ma chambre. Il est deux heures du matin et je suis seule. Je réalise que tout cela n'était qu'un rêve. Soulagée, je prends une grande respiration et je souris. Je n'ai pas à chercher longtemps pour comprendre le sens de ce rêve. J'ai quinze ans aujourd'hui et j'ai hâte de célébrer avec mes amies ce soir. Ma mère, elle, m'oblige à un dîner de famille demain qui sera certainement très ennuyant. Si elle pouvait me laisser vivre un peu !

Je retombe tranquillement dans le sommeil pendant que j'imagine ce que sera ma prochaine année, celle de mes quinze ans et j'espère, celle où je trouverai l'amour...

« La ville dort paisiblement alors que certaines ruelles font la fête, peuplées d'habitants nocturnes. Rien de rassurant pour cette adolescente qui quitte le bar. Seule et sans voiture, elle se dirige vers le trottoir pour faire signe à un taxi. Elle sent une présence derrière elle, mais lorsqu'elle se retourne, elle ne voit rien. Certaine que le rythme de son cœur accélère rapidement pour rien, elle brave la nuit en gardant un pas désinvolte et impudent. La témérité est l'une de ses qualités, on le lui a déjà dit. Elle pense à cela en souriant. Elle n'a pas peur, malgré le froid qu'elle ressent dans le dos, malgré l'ombre qui la suit jusqu'à la frôler, malgré la lumière qui se fait rare. Elle devrait peut-être ! Sauvagement saisie par le bras, elle a été tabassée derrière l'escalier... »

– Arrête Julien, arrête de lire à voix haute ! Je n'aime pas tes histoires d'horreur et en plus je parle au téléphone ! que je dis à mon frère. (Il a la mauvaise habitude de s'installer près du téléphone et de lire à voix haute ses bouquins de fous. Il m'énerve quand il fait ça. C'est sûrement pour cette raison qu'il le fait, d'ailleurs.) Maman ! Julien me dérange ! Je parle à Céleste au téléphone. Dis-lui d'arrêter.

– Va rapporter à maman, c'est ça, défends-toi avec ta mère. Peureuse, peureuse ! me crie mon frère en me narguant.

– Toi, là, tu vas voir... Je vais me défendre toute seule et ça va faire mal.

À bout de patience, j'annonce à Céleste que je serai chez elle dans vingt minutes et je raccroche. Je me tourne et me dirige vers mon frère.

Julien est une vraie petite peste. Il vole mes affaires, répète tout à maman et entre dans ma chambre sans frapper. Mes parents ne peuvent pas résister à ses petits yeux bruns quand il pleure (ou fait semblant) et ils le consolent en lui caressant les cheveux, qui sont tout aussi bruns que ses yeux. Moi, je trouve qu'il ressemble à un clown avec ses vêtements sportifs et ses bras qui commencent à être plus longs que tout le reste de son corps. Sa voix, qui est encore celle d'une fille, le fait paraître trop petit pour un corps si grand.

Je crois qu'il sera grand comme notre père Claude. D'ailleurs, il lui ressemble. Il a les mêmes yeux et cheveux bruns. Sauf que mon père, je le trouve beau. Il est patron d'une boîte d'informatique. Sa boîte à lui. Un très bon patron qui traite ses employés respectueusement et il est gentil avec eux quand ils ont des pépins. C'est vrai que mon père est doux, gentil et drôle, en plus il dit tout le temps : « Solange, reste calme, ça va s'arranger. » Ma mère se calme ensuite. Je ne sais pas si c'est ce qu'il dit qui la calme ou les clins d'œil qu'il fait, mais ça fonctionne. Et, croyez-moi, il n'y a pas grand-chose qui réussit à calmer ma mère.

Ma mère est tout le contraire de mon père. Elle est fière et soignée. Elle prend deux heures pour s'habiller, se coiffer et se maquiller. Elle se regarde toujours dix fois dans le miroir pour voir si ses cheveux blonds sont bien placés ou s'ils ont bougé ; je crois qu'elle vérifie aussi si ses yeux sont encore pers ou s'ils ont changé entre la salle de bains et le salon. Elle décide de tout dans la maison : ce qu'on va manger, ce qu'on va porter, qui je peux fréquenter, quoi dire à mes amies, ce que mon père devrait faire ou dire... Vous voyez le genre : elle dirige la maison comme ma directrice à l'école, elle pense qu'on est des robots. Avant, je voulais lui ressembler. Je la trouvais très belle. Mais depuis quelque temps, j'ai changé d'idée. Elle est tellement inquiète pour tout, elle est super protectrice, une vraie détective ! On dirait qu'il faut qu'elle sache tout, comme si elle était mon amie ; ce n'est pas mon amie : c'est ma mère.

Justement, la voilà. Elle va me dire de lâcher mon frère, de comprendre parce que je suis la plus vieille, de me calmer... Elle répète toujours les mêmes choses.

– Savannah, lâche ton petit frère tout de suite ; tu devrais comprendre, tu es la plus vieille. Va te calmer dans ta chambre.

– Mais maman, il n'arrête pas...

– Ce n'est pas vrai, maman. Je lisais tranquille... Là, elle est devenue enragée et elle m'a sauté dessus, répond mon frère en plissant des yeux.

– Oui, Julien, je sais… Mais c'est ça, l'adolescence. Ils se fâchent subitement et on ne sait pas pourquoi. Il faut être patient avec elle, ça va passer, réplique ma mère.

Je n'écoute même pas le reste de son monologue, je le connais par cœur. Je soupire, prends ma veste, mon sac et m'apprête à partir.

– Où vas-tu comme ça, Savannah ? demande ma mère.

– Je passe la nuit chez Céleste, maman. Je te l'ai dit des centaines de fois. Si tu m'écoutais aussi quand je te parle.

– Reste polie, jeune fille. Est-ce que ton père est au courant ?

– Oui et il m'a donné la permission. Toi aussi, d'ailleurs. On va fêter mes quinze ans.

– Qui sera là ? Est-ce que ses parents seront là ? Y aura-t-il de l'alcool ou de la drogue ? Et surtout, des garçons ? Parce que je risque de changer d'idée.

– Maman, arrête un peu. Ses parents sont là et c'est une soirée de filles, il n'y aura pas de garçon, juste Céleste, Macha et Laure. On ne va rien consommer sinon des chips et de la liqueur. Satisfaite, maintenant ?

– Quand tu arrives, tu m'appelles, hein ? Je veux parler à sa mère. Et ne te couche pas trop tard. As-tu pensé à prendre avec toi ta brosse à dent et du linge propre ? Pas tes guenilles de jeans, du vrai linge... aussi...

– Bon, j'y vais maintenant. Bonne nuit tout le monde ! Bonne nuit papa, que je crie en direction du salon.

– Bonne nuit ma grande, répond mon père sans poser de questions.

Si ma mère pouvait être comme mon père et arrêter de faire la détective. J'ouvre la porte et je sors enfin de cette maison. Ce n'est pas qu'elle soit inhabitable... Mais les gens qui y vivent en font une maison de fous. Bon, assez de réflexions pour aujourd'hui et en route pour l'aventure chez Céleste, en espérant qu'il y ait bien une aventure. Je le sens, il va se passer quelque chose.

Silence ! On sort !

J'arrive chez Céleste en fredonnant un air de mon groupe préféré. Je frappe à la porte. J'attends quelques secondes et on m'ouvre.

– Bonjour Savannah, rentre donc, me dit Roseline, la mère de Céleste. Ma fille est en haut avec Macha et Laure, elles t'attendent.

– J'y vais tout de suite. En passant, pouvez-vous appeler ma mère pour lui dire que je suis arrivée et que vous allez passer la soirée ici… Juste pour la rassurer, comme d'habitude.

– Certainement Savannah. Je vais le faire tout de suite. Bonne soirée de fête !

– Merci Roseline, lui dis-je en souhaitant qu'elle soit ma mère.

Je monte l'escalier. Je me sens bien ici. Roseline est très accueillante, elle ne répète jamais les mêmes choses et surtout, elle laisse beaucoup de liberté à Céleste.

Quand je viens, elle me traite comme une adulte ; tout le contraire de ma mère.

La dernière marche vient de craquer, ce qui prévient les filles de mon arrivée. La porte de la chambre de Céleste s'ouvre tranquillement et me happe aussitôt.

– BONNE FÊTE ! me crient les filles. Elles ont décoré la chambre avec des rubans et des affiches de mon groupe préféré.

– Merci les filles, vous êtes géniales !

– On ne pouvait pas oublier ton anniversaire. Allez, entre ! Ferme la porte, qu'on commence la fête !

Je ferme la porte rapidement et je m'assoie avec elles sur le lit. Laure ouvre le lecteur CD et y insère mon disque préféré. Elle m'embrasse sur la joue en me souhaitant un bon anniversaire et tout ce que je désire pour mes quinze ans. C'est comme un tourbillon de bonheur : mes amies, des souhaits merveilleux et ma musique préférée. Les chansons dansent dans nos oreilles et leur poésie nous charme. Quand on est adolescente et qu'on écoute de la musique entre amies, ce n'est pas pour danser, c'est pour écouter la mélodie et parler pendant des heures de n'importe quoi et de n'importe qui. La musique fait trembler les murs… Nos fous rires sont incontrôlables. On parle sans arrêt, mais la plupart du temps, on ne saisit que des brides de ce qui se dit :

– Avez-vous remarqué Mélanie avec ses nouveaux cheveux...

– ... et je suis sortie de la classe en riant parce que Bob a dit au prof...

– ... moi, celui que je préfère c'est Brian, il est tellement beau...

– Quand il m'a regardée, je suis devenue tellement rouge...

Et la conversation continue pendant des heures. On règle les problèmes de l'une, on se fait des confidences, on dit que Pascal est le plus beau et Carl le plus laid, on parle de Laure qui veut sortir avec Diego et de Macha qui dit que Diego n'est pas fait pour Laure, on parle de tout ce dont les adolescentes parlent entre elles. C'est quand mon estomac gargouille que je réalise à quel point j'ai faim.

– Céleste, je commence à avoir faim. Aurais-tu quelque chose à grignoter ?

– Bien sûr. Ce n'est pas un gâteau de fête, mais ça devrait faire l'affaire. J'ai des chips de toutes les sortes et des boissons gazeuses, me répond Céleste en sortant les croustilles.

Tout le monde se prend un bol et s'installe à son aise. Laure s'assoit par terre et croise les jambes. Elle mange tranquillement ses croustilles. De nous quatre, c'est la plus réfléchie et la plus calme. C'est elle qui nous sort du pétrin quand on a manqué un examen ou qu'on a des problèmes comme une peine d'amour ou un surplus de timidité... Assez jolie, elle porte des lunettes qui lui donnent un air sérieux. Avec ses cheveux roux et ses petits yeux pers, elle sourit rarement, sinon pour terminer ses discours en tant que présidente de classe.

Tout près, il y a Macha qui s'étend et qui prend l'espace restant entre Laure et moi. Elle pose sa tête sur les genoux de Laure et pige dans le bol de celle-ci sans demander la permission. De nature téméraire, Macha a pour philosophie qu'elle ne doit rien à personne ; sinon à elle-même. Fonceuse et impulsive, elle a des opinions précises sur tout et ne doute jamais de ses décisions. Elle s'absente souvent de l'école avec l'unique raison que la vie est trop courte pour la passer dans une école. Pour Macha, les règles sont faites pour les autres. Grande, musclée par ses excursions d'alpinisme et rebelle, elle attire les regards masculins par ses belles boucles noires et ses yeux d'un magnifique bleu vif.

Céleste s'installe sur le lit, juste à ma droite. Couchée sur le ventre, la tête appuyée sur ses mains, elle sourit. Céleste sourit tout le temps. C'est la fille de la bande qui a toujours le mot pour rire, une blague à raconter, un plaisir à offrir, une épaule pour pleurer. Généreuse, sympathique et enjouée, elle sait remonter le moral de la troupe. C'est la plus petite d'entre nous. Cheveux courts, coiffés en mèches disparates orientées dans tous les sens, elle les change régulièrement de couleur. Depuis deux semaines, elle les a teints en noir avec des mèches mauves. Ça lui va bien. Tout va bien à Céleste parce qu'elle a dans ses yeux verts une étincelle qui ne s'éteint jamais.

Quant à moi, assise de façon à terminer le cercle, je suis la plus timide et la plus jeune. J'aime rire, mais pour y arriver, je dois connaître les gens avec qui je suis. Depuis que je connais ces filles-là, je ris plus souvent qu'avant. Je suis du genre à écrire plutôt qu'à sortir ou encore à écouter plutôt que de parler. Je suis rêveuse, toujours naturelle et sans maquillage. Je suis la plus effacée du groupe, mais c'est ce que je veux.

Toutes les quatre, nous sommes depuis deux ans des amies inséparables. On a chacune des personnalités différentes, mais on se ressemble par nos goûts musicaux et vestimentaires. On aime parler des mêmes choses, jouer au soccer et on espère toutes les quatre trouver le grand amour cette année.

Macha se lève en souriant comme elle le fait avant de faire un mauvais coup. Toutes les trois, on se regarde et on sait qu'elle va nous sortir quelque chose de spécial. En fouillant dans son sac, elle dit : « Spécialement pour tes quinze ans Savannah… Pour te rappeler de cette soirée, voici… » et elle sort soudainement de son sac une bouteille de vodka et une autre de rhum. Les yeux comme des points d'interrogation, incrédules, nous gardons la bouche ouverte. Elle les agite dans tous les sens et s'apprête à les ouvrir quand le téléphone sonne. C'est pour Céleste. Sa mère monte et frappe à la porte. Cachant ses deux complices, Macha se roule par terre. Nous nous efforçons de rester sérieuses, mais même Laure a de la difficulté à ne pas rire. Céleste prend le téléphone :

– Salut... Ce soir, je suis occupée... La bande est ici pour la fête de Savannah... Ma mère ne voudra jamais... À moins que... Si les filles acceptent, on est là dans trente minutes ; sinon, ne nous attendez pas. Bye !

Elle raccroche et nous annonce que l'équipe de football d'Étienne s'entraîne ce soir au terrain habituel et que tout le monde va faire la fête chez lui après. Nous sommes invitées.

– Moi, dit Macha, je suis prête pour l'aventure. Allons-y.

– J'hésite un peu..., avoue Laure. C'est risqué. Que va dire ta mère, Céleste ?

– Elle ne dira rien parce qu'elle ne le saura pas. On n'a pas le choix. Si on y va, c'est en secret.

– Moi, je suis partante. Un peu d'action pour ta fête Savannah, ce n'est pas ce que tu voulais ?

– C'est certain que je veux y aller, dis-je en tremblant autant que ma voix.

Je ne peux m'empêcher de penser à ma mère, à ce qu'elle dirait. Elle me fait confiance et moi je mens… Je me sens bizarre en dedans, je ne veux pas déplaire aux filles, mais en même temps je ne veux pas décevoir ma mère. Trop tard pour les remords. Macha est déjà en train d'échafauder un plan.

– Maman, dit Céleste, les filles et moi on va chez la sœur de Macha pour garder. Elle doit sortir et elle n'a trouvé personne pour s'occuper de sa fille.

– À cette heure-là ? répond Roseline. Elle aurait pu y penser avant. Je ne sais pas si tous vos parents seraient d'accord.

– Mais on va aider quelqu'un. Il n'y a pas de mal à ça, maman. Et regarde nous, où pourrions nous aller dans cet état ? On ne part que pour quelques heures et tu peux nous appeler si tu es inquiète, son numéro est dans mon carnet.

– D'accord, mais dites-lui bien que vous devez être de retour avant minuit. J'ai promis à vos parents que vous passiez la nuit ici et je compte bien respecter ma parole.

– Oui, maman. On va être ici pour minuit, sinon on ramène la petite avec nous, répond Céleste en riant.

Dès que nous sommes assurées que la porte est bien fermée, nous éclatons de rire. Très heureuses de notre plan, nous avons assuré nos arrières : le numéro de la sœur de Macha n'apparaît pas dans le carnet de Céleste. Nous prétexterons un oubli. Quel dommage…

En courant, nous nous dirigeons vers la cour arrière qui abrite nos sacs, que nous venons de lancer par la fenêtre de la chambre de Céleste. À l'intérieur, il y a nos vêtements et, bien enveloppées, les deux bouteilles d'alcool. Abritées dans le garage, nous nous transformons en quatre beautés. Seul témoin de cette imposture, il garde silencieusement nos vieux vêtements jusqu'à notre retour, d'ici quelques heures. Tout le monde est prêt. Tout à coup, je sens que plusieurs yeux sont tournés vers moi.

– Savannah, es-tu prête ? Tu ne vas pas changer d'idée ? me demande Céleste.

– Pas si nous partons rapidement, j'entends presque ma mère me dire…

– Ta mère n'est pas là, fait Macha en me prenant par le bras, et ce soir tu ne changes pas d'idée. C'est ta fête et on compte bien le souligner à notre manière. Allez les filles, dépêchons un peu, l'heure tourne et Cendrillon doit rentrer à minuit.

Le choix de *Savannah*

En ces minutes, mon seul réconfort est de chanter comme je le fais quand j'ai peur. Ça me rassure. Ma voix est plus forte que celle des autres et je me surprends de sa confiance. Je cours vers l'aventure, la peur au ventre, mais ça a quand même bon goût.

Je me demande si la pomme d'Ève avait le même goût, celui du mystère et de l'interdit... Quelle saveur délicieuse !

Saturne

Arrivées près du terrain de football, nous entendons les voix que le vent porte doucement à nos oreilles.

– Étienne est là ! s'exclama Céleste tout énervée, je l'entends d'ici. Les filles, est-ce que mes cheveux sont bien comme ça ?

– Oui, oui, que je réponds, tes cheveux sont parfaits. Tu t'énerves pour rien, il est déjà fou de toi.

– Est-ce que tu entends Diego, Céleste ? demande Laure, inquiète. J'espère qu'il est là, sinon la soirée va être longue.

– Les filles, on est ici pour la fête de Savannah, alors si vos mecs ne sont pas là, ce soir, faut faire la fête quand même, hein ? dit Macha. De toute façon, des gars, il y en a d'autres. Allons-y !

On s'installe tout près de l'estrade gauche du terrain. De là, on voit tout le monde. On aime les voir s'entraîner ; on parle d'eux, de comment ils bougent, de ce qu'ils ont fait dernièrement, de celui qu'on préfère. Ce soir, il manque quelques joueurs, mais il y a un nouveau. On est si loin qu'il est difficile de voir à quoi il ressemble.

– Lequel tu veux, pour ta fête ? me demande Macha. Il y a Philippe, Mathieu, Dave, Marc…

– Il n'y en a pas vraiment un qui m'intéresse pour le moment, que je réponds, déçue de moi-même. Je pense que je suis trop difficile. Quand je serai amoureuse, je veux qu'il y ait des papillons dans mon ventre, que le ciel brille de toutes ses étoiles, que des ailes me soulèvent de terre. Je veux me sentir enveloppée de son regard, je veux qu'il m'aime…

– L'amour, tu crois à ça, toi ? Si tu cherches le gars parfait ma fille, tu vas chercher longtemps. Les contes de fées, c'est fini. Au lieu d'un prince charmant, va falloir que tu te satisfasses des gars d'aujourd'hui, soupire Macha.

Je me demande pourquoi Macha parle des gars comme ça. Des fois, j'ai l'impression qu'elle fait sa rebelle, mais qu'au fond, elle est triste d'être seule. Je le vois dans ses yeux, comme maintenant… Ils deviennent vitreux et ses paupières se ferment rapidement. Moi, je crois que les gars et les filles ne sont pas parfaits, mais qu'avec des efforts, ils peuvent vivre une belle aventure. Parlant d'aventure, je crois bien que c'est foutu pour ce soir. Les gars ont terminé leur entraînement, on va enfin bouger un peu. Les filles traversent le terrain en courant vers les gars qui se désaltèrent.

Je reste un peu à l'écart en marchant lentement et j'observe le ciel infini. Je m'arrête. Je scrute l'univers à la recherche d'une étoile filante qui me permettrait de faire un vœu.

– Moi, la planète que je préfère, c'est Neptune, et toi ? me demande une voix inconnue.

– J'aime bien Saturne, elle a des anneaux si grands, que je réponds en me tournant vers mon interlocuteur inconnu.

Je reconnais Christophe, le nouveau dans l'équipe de football. Beaucoup de gens disent de lui que c'est un arrogant, un fils à papa qui a tout ce qu'il veut parce que ses parents sont riches et qu'il est enfant unique. Dans son ancienne école, on le surnommait « le roi de la drague ». Je sais pas si c'est vrai mais je sais que, présentement, sous mes yeux, se trouve le plus beau gars du monde, de mon monde. Ses cheveux sont châtains et sous le poids du casque protecteur, ils se sont aplatis. Ses lèvres sont d'un rouge pétillant et ses yeux bruns en forme d'amande sont si profonds qu'ils pourraient m'engloutir. Cessant de fixer la galaxie étoilée, il tourne les yeux vers moi.

– C'est vrai que Saturne n'est pas mal non plus. Je la trouve intrigante, mais Neptune est sublime avec sa couleur turquoise, qui brille un peu comme une belle fille toute seule sur un terrain de foot.

Ça y est. Je manque d'air, j'oublie comment faire une phrase, je me pétrifie en statue, je bégaie un peu.

– J'attends mes amies, elles sont là avec l'équipe de foot. On est venues voir l'entraînement de ce soir.

– Alors, tu m'as vu jouer tout à l'heure. Comment trouves-tu mon jeu ? C'était bien hein ? Je ne suis pas mauvais, je trouve. J'oubliais, je suis Christophe, le nouveau joueur dans l'équipe.

– Moi, c'est Savannah. Je ne connais pas beaucoup le football, mais je connais très bien le soccer. Je suis dans l'équipe de l'école.

– Super, je vais t'apprendre le football et toi tu m'apprendras le soccer.

– D'accord, quand tu es prêt, tu me le dis.

– Très bientôt, je pense, mais pas ce soir… On nous fait de grands signes là-bas. Je pense qu'il faut aller rejoindre les autres si on veut aller poursuivre la soirée chez Étienne. Viens !

Je ne réponds rien, j'avance simplement en me demandant si je rêve éveillée ou si tout est réel. Je ne sens plus le sol sous mes pieds, les étoiles tombent les unes après les autres, ma respiration s'accélère, je suis complètement subjuguée ! Est-ce cela que l'on appelle le coup de foudre ? J'ai l'impression que deux planètes viennent de se rencontrer et de créer une nouvelle galaxie, celle de Saturne et de Neptune.

Quelques joueurs de l'équipe et leurs supporteurs se retrouvent chez Étienne. Ses parents ne sont pas là le samedi soir, ils passent la soirée au théâtre. Ils savent qu'Étienne vient ici avec l'équipe après l'entraînement, mais je me demande s'ils sont au courant au sujet de toutes les autres personnes, particulièrement des filles. Peu importe, la terre tourne au ralenti et la soirée commence. Macha a sorti ses deux bouteilles et elle fait la tournée des verres vides. Nous levons nos verres à tout ce qui nous est interdit et à ma fête.

– Ce soir, on boit à notre santé mais aussi à celle de Savannah qui fête ses quinze ans, dit Diego en levant son verre. Nous te souhaitons bon anniversaire et surtout bonne soirée avec nous ! Et pour bien la commencer, Savannah nous t'invitons à boire cette magnifique boisson, gracieuseté de notre belle amie Macha.

Je regarde ce liquide clair qui tremble par ma faute. Le doute me triture les tripes : si je ne bois pas, j'ai l'air de celle qui gâche la fête et au revoir les invitations ; si je bois et que la mère de Céleste s'en rend compte, ma mère va me punir et au revoir les sorties.

En plein dilemme, je prie pour que mon verre se vide de lui-même.

– Allez, Savannah ! C'est ta fête, profites-en, dit Étienne. Tu as quinze ans maintenant, tu es une grande fille.

Il a raison, c'est ma soirée. J'essaie tant bien que mal de taire mon inquiétude et je bois d'un seul coup le contenu de mon verre. Traçant un chemin de feu de ma bouche à mon estomac, le liquide détruit tout sur son passage. Un haut-le-cœur m'avertit de son arrivée.

– Bravo ! crie tout le monde. Encore un, encore un...

Je n'ai pas envie de continuer. Le goût est mauvais et l'effet est nul, mais comme je veux faire partie de la gang, je me résigne à boire un autre verre. Au fond, ce n'est pas si mauvais... En tout cas, c'est mieux que d'être toute seule. Je vois Christophe qui arrive. Il est encore plus beau qu'il y a vingt minutes. Il semble chercher quelqu'un du regard. Il me voit et me sourit. Lentement, il marche vers moi et s'arrête. Il s'arrête si près de moi que je sens son parfum à l'arôme vivifiant.

– Alors c'est ta fête ? Bonne fête, qu'il me dit en m'embrassant sur la joue.

D'un coup, je bois mon troisième verre qui, cette fois, ne goûte rien. Mon cœur s'emballe et ma joue s'enflamme. Il m'a embrassé la joue, quelle douceur, quelle fraîcheur… Je me lève et mon thermomètre intérieur se dérègle et me donne des chaleurs. Je cherche des yeux Céleste, mais elle parle avec Étienne ; pas question de la déranger. Étourdie, j'essaie de trouver Macha ou Laure, mais je ne vois aucune des deux. Je dois sortir, prendre l'air, respirer, car je me sens mal tout à coup.

– Est-ce que ça va, Savannah ? me demande-t-il.

– Non, pas vraiment. J'ai besoin de prendre l'air, tout de suite.

Il me prend par le bras et m'emmène dehors. L'air frais me dégrise un peu et les étourdissements cessent. Mon mal de cœur se dissipe et le doute qui, tout à l'heure, s'était tu s'empare de tous mes sens. Si ma mère me voyait là, seule dehors avec un gars, presque soûle, elle ferait une crise du tonnerre. Heureusement pour moi, la seule crise ce soir se passe dans mon estomac.

– Ça va mieux, merci beaucoup Christophe.

– Faudra y aller plus tranquillement la prochaine fois.

– T'as raison. En tout cas, pour ce soir, c'est terminé. Tu devrais être le guérisseur de l'équipe au lieu du quart arrière.

– Non, moi ce que j'aime, c'est soigner les jolies filles, pas les gars en sueur.

On éclate de rire tous les deux, comme si on était de vieux copains d'enfance. Nos yeux se croisent et il penche sa tête vers moi. Mon Dieu, je crois qu'il va m'embrasser. Et là, juste à ce moment-là, au moment dont j'ai rêvé des milliers de fois, Céleste arrive en criant :

– Les filles, il est onze heures trente. Nous devons partir tout de suite, sinon on va avoir des ennuis. Dépêchez-vous. Savannah, as-tu vu Macha et Laure ?

– J'ai vu Laure dans la cuisine avec Diego tout à l'heure, dit Christophe. Et pendant que j'étais au téléphone, j'ai vu votre autre amie qui allait à la salle de bains, ajoute-t-il en rougissant. J'étais en train d'appeler ma mère, non… mon père pour lui dire que j'allais rentrer bientôt…

Céleste retourne à la maison pour aller chercher Laure et Macha. Je me demande pourquoi Christophe a rougi quand il a parlé du téléphone ; il doit être gêné d'appeler son père… Il me souhaite bonne nuit et m'embrasse sur la joue avant de partir. Les filles arrivent, on salue tout le monde et on s'en va à toute vitesse.

Sur le chemin du retour, on garde le silence. Consciente qu'on risque de tomber sur la mère de

Le choix de *Savannah*

Céleste, on prépare tout un petit scénario pour s'en tirer à bon compte. Malgré tout, on sourit en pensant à cette soirée et cette fois, ce n'est pas la lueur de la lune qui nous guide, mais les millions d'étoiles qui brillent dans nos yeux.

Cendrillon et
le Petit Chaperon rouge

Ma montre indique onze heures quarante-cinq quand l'escalier de chez Céleste craque sous nos pas. Tout le monde dort. Nous enfilons nos pyjamas et sans pouvoir cesser de parler, nous nous glissons dans nos sacs de couchage. La veilleuse allumée, les bourrasques de vent chatouil-lant la fenêtre, les regards furtifs, l'ambiance est aux confidences.

– Quelle belle soirée, dis-je. Je vous remercie les filles, c'était vraiment super comme fête. Vous êtes des amies géniales.

– Tu es certaine d'avoir aimé ça ? Moi je trouve que t'avais plutôt l'air malade dans le salon, à moins que tu n'aies fait tout ce cinéma pour le beau Christophe, me taquine Laure.

– J'étais étourdie pour vrai, ma chère. Tu peux bien parler toi, où étais-tu à ce moment-là ?

– Hein… Je n'étais pas loin, à côté.

– À côté, oui, à côté de qui ? demande Céleste en souriant.

– À côté, dans la cuisine… Je parlais avec Diego, dit-elle en rougissant.

– Ah ! Le beau Diego, c'est vrai qu'il a plein de choses à raconter. Et, est-ce qu'il t'a seulement parlé ou il t'a aussi embrassée ?

– Non ! Il a bien essayé mais je n'ai pas répondu à ses avances. C'était un peu trop vite pour moi. C'est certain qu'il me plaît, beaucoup même. Sauf que je ne le connais que depuis quelques semaines. La prochaine fois peut-être, soupire-t-elle.

– C'est la vérité vraie, ça, Laure ?

– Vous promettez de ne pas vous moquer ? Promettez !

– Promis ! jurons-nous à l'unisson.

– À vrai dire, je n'ai jamais embrassé de gars et j'étais gênée. J'ai peur qu'il trouve que j'embrasse mal et qu'il ne s'intéresse plus à moi. Les filles, qu'est-ce que je vais faire ? Il me plaît vraiment.

– Ce n'est pas difficile, tu vas t'entraîner avec ton oreiller…

– Macha ! T'avais promis de ne pas te moquer.

– Mais je suis sérieuse, ton oreiller c'est le meilleur cobaye, affirme Macha en embrassant le sien.

On n'en peut plus et on éclate de rire, même Laure.

– Vous pouvez bien vous moquer, les filles. Il n'y avait pas que moi qui était en bonne compagnie, n'est-ce pas Céleste ? fait Laure en me lançant un clin d'œil complice.

– Tu parles de moi ? dit Céleste en feignant d'être surprise. T'as bien raison, j'étais en merveilleuse compagnie. Étienne est tellement beau et drôle et tout ce que tu veux.

– On parle bien du même Étienne ? demande Macha. Parce que moi, je ne le trouve pas si beau.

– Oui, on parle du même, sauf que toi, tu vois rien. Ce soir, il n'était pas seulement beau, il était sexy. Quand il me parlait, il me regardait droit dans les yeux et j'avais l'impression qu'il lisait en moi. Il m'a dit qu'il me trouvait très belle et qu'il espérait qu'on se voit cet été. J'étais si envoûtée que lorsqu'il s'est approché de moi, je n'ai pas pu résister…

– Pas pu résister ? Tu veux dire qu'il t'a embrassée ! s'exclame Laure.

– Oui, oui parce qu'il a posé ses lèvres sur les miennes et c'était doux, tendre et romantique à fond. Après ce baiser, il m'a prise dans ses bras et on est restés comme cela quelques minutes.

– Et après ?

– Après, après, rien après parce qu'en plaçant mes bras autour de son cou, j'ai vu l'heure sur ma montre et j'ai réalisé qu'il était vraiment tard. Je suis allée à votre recherche…

– Ouais, ce n'était pas une recherche, c'était une alerte à la bombe, que je dis en soupirant.

– Comment ça ? demande Céleste.

– Tu es arrivée en criant comme s'il y avait une bombe dans la maison.

– Et est-ce que cela veut dire, Savannah, que je t'aurais dérangée avec ton beau Christophe ? demande-t-elle, en donnant un coup de coude à Laure.

– Eh bien, euh…

– Tu es muette tout à coup, Cendrillon ? Allez raconte aussi ta soirée. As-tu eu un cadeau surprise de ton prince ?

– Non... Ça dépend de ce que tu entends par cadeau, dis-je en souriant. Disons qu'il s'est bien occupé de moi quand j'ai eu mon malaise.

– Ouais. Permets-nous de douter de ton malaise.

– Sérieusement, il ne m'a pas donné de cadeau mais on a un peu parlé. Il est intelligent, drôle, attentionné, doux, passionné, réservé...

– Et tu as vu tout cela en deux heures, toi ?

– En tout cas, c'est comme ça que je le sens. Quand on était dehors, on a réalisé qu'on avait plusieurs points en commun et on a aussi ri ensemble comme si on se connaissait depuis des années. On a une belle complicité, qu'on n'a pas eu le temps d'approfondir parce que Céleste est arrivée en hurlant.

– Je ne hurlais pas, je parlais fort.

– Ce n'est pas grave, j'ai juste raté mon baiser de fête, dis-je en faisant semblant de pleurer. On était si près de s'embrasser. Juste à y penser, j'ai des papillons dans l'estomac.

– Pense plutôt à ce que ta mère aurait dit si on n'était pas revenues à l'heure.

– Tu as bien raison Macha, mais depuis quand tu penses à ma mère, toi ? Voudrais-tu changer de sujet avant qu'on te demande où tu étais tout ce temps, parce que moi je ne t'ai pas vue de la soirée. Vous autres, les filles ?

– Non, répondent Laure et Céleste. Pas après qu'elle soit allée à la salle de bains.

– Te serais-tu perdue en chemin, Macha ?

– Non pas du tout, sauf que… Sauf que j'ai rencontré le gros méchant loup ! dit-elle d'un ton sarcastique. Mais je me demande si mon histoire pourra plaire à vos jeunes oreilles ?

– Nos oreilles, elles ont le même âge que les tiennes. Alors, déballe ton histoire, Petit Chaperon rouge.

– Il était une fois…

– Arrête de nous faire languir et raconte, lance Céleste d'un ton empressé.

– D'accord, d'accord ! Quand j'ai voulu aller à la salle de bains, je ne pouvais déranger Étienne pour lui demander le chemin, parce qu'il était avec vous savez qui. Donc, je suis partie à l'aventure dans la maison pour trouver les toilettes. J'ai rencontré Jean-Philippe, le frère d'Étienne, à qui j'ai demandé ma route. Quand je suis sortie, il était là et m'attendait. Il a dit qu'il voulait être certain que je ne me perde pas sur le chemin du retour et il a offert de m'accompagner.

Son regard s'allume, son intonation diminue, elle s'approche de nous et murmure lentement en regardant partout :

– Nous avons longé le corridor et il m'a montré toutes les pièces. Ensuite, on est passé devant sa chambre, il m'a offert de la visiter et… Comme j'aime visiter, j'ai accepté. J'ai donc visité la chambre de Jean-Philippe pendant que vous étiez pendues aux lèvres de vos mecs. Voilà.

– Voilà quoi ?

– Que s'est-il passé après ?

– Mais Étienne m'a dit que son frère avait vingt ans, il est trop vieux pour toi, répond Céleste.

– Calmons-nous, les filles. On ne parle pas d'histoire d'amour là, juste d'une visite de chambre. Vous allez trop vite, les filles.

– Non, on te connaît, plutôt. Vas-y raconte tout, tout, tout, on veut tout savoir.

– Tout ? Alors, dans sa chambre il y a un bureau, une commode, un lit…

On se regarde ahuries. Comment peut-elle nous faire languir aussi longtemps ? Je lui lance mon oreiller en lui ordonnant :

– Arrête tes rigolades et raconte. Je sais que tu en meurs d'envie. Allez, Petit Chaperon rouge, que s'est-il passé chez mère-grand ?

– Pour commencer, je me suis assise sur le lit et lui sur un pouf. Il a demandé si j'avais envie d'écouter de la musique et je lui ai dit que j'aimerais bien. Il a mis une musique et avant qu'il ne s'assoie, je lui ai fait signe de venir me rejoindre sur le lit. Quand il s'est retrouvé près de moi, il m'a posé des questions sur l'école, mon âge, mes amis, mon chum… Je lui ai répondu que je ne fréquentais personne pour le moment, mais que je serais intéressée si un gars plus vieux que moi m'abordait. Il a ri. Son rire était plus beau que la musique et c'est là qu'il m'a embrassée. Il a posé sa bouche sur la mienne très doucement, c'était bon, et il a entouré ma taille avec ses deux mains. Il a arrêté quelques instants, m'a regardée dans les yeux et toujours doucement m'a embrassée une deuxième fois. Là, il a mis ses mains autour de mon cou et a sorti sa langue… Hum ! C'était tellement génial que je tremblais en dedans. Ce baiser a duré quelques minutes et après… plus rien. Il a reculé subitement en me disant qu'il était mieux de s'arrêter là. J'étais en train de le questionner quand Céleste est arrivée en hurlant dans la maison. Je suis sortie de la chambre sans savoir ce que ce baiser voulait dire pour lui.

– Comme c'est romantique, dit Céleste. C'est dommage que la méchante Céleste soit arrivée en hurlant, la prochaine fois je vais rester muette et on se fera toutes punir.

– Voyons, Céleste. Te fâche pas, tu as bien fait. Disons plutôt que c'est la faute à nos parents, dis-je. S'ils nous permettaient de sortir, on ne serait pas obligées de mentir hein ?

– Ouais, ils nous traitent comme si on était encore des petites filles.

– Eh bien moi, lance Macha, je suis bien contente d'avoir menti ce soir. Cette soirée a été super. Quand je repense à Jean-Philippe, quel effet il me fait celui-là.

– Macha, que je demande, si Céleste n'était pas arrivée, aurais-tu continué à l'embrasser ? Aurais-tu été plus loin s'il te l'avait demandé ?

– La chose ? Tu veux dire faire l'amour ? Je ne pense pas, c'était trop plein de monde et d'imprévus, sauf que… je ne sais pas combien de temps j'aurais pu résister, avoue-t-elle en riant.

– Les filles, demande Laure en chuchotant, est-ce que vous avez déjà fait l'amour ?

On se regarde toutes, un peu mal à l'aise de parler de choses si intimes. On ne sait pas si on serait mieux de dire qu'on l'a fait ou qu'on ne l'a pas fait. Est-ce qu'on va passer pour une fille déniaisée ou pour une fille trop prude ? Macha est la première à parler.

– Faire l'amour est un bien grand mot. Ça peut signifier bien des affaires, mais je peux dire que oui, même si ce n'était pas vraiment de l'amour...

– Qu'est-ce que tu veux dire par là ? Tu l'as fait ou pas ?

– Oui, je l'ai fait, mais le type avec qui je l'ai fait n'était pas amoureux et moi non plus. On l'a fait pour le faire et c'est tout.

– Eh bien moi, je ne l'ai pas encore fait, dit Laure.

– Moi non plus, ajoute Céleste.

– Et moi non plus, dis-je.

– Et comment on sait qu'on est prête à faire l'amour, Macha ?

– Ça, ma belle, tu vas le sentir avec tes tripes et ton cœur et aussi... Vous allez le sentir et c'est tout, laissez-moi un peu avec vos questions. Je l'ai fait une seule fois, je n'en sais pas tellement plus que vous...

Conscientes que nous venons de révéler des secrets ultra-confidentiels, nous gardons le silence et nous faisons notre signe secret qui est comme une signature de contrat ; un contrat qui nous engage à garder secrètes les confidences faites ce soir. Rassurées, nous pouvons enfin poser nos têtes sur nos oreillers.

Au-delà des bruits de sacs de couchage, j'entends la respiration de chacune d'elles. Nous n'osons plus parler, de peur de briser le sceau scellé il y a quelques instants. Il reste autour de nous comme un vent d'incertitude. Qu'est-ce que Macha a voulu dire par « ça peut signifier bien des affaires » ? Est-ce que ça a un rapport avec ses yeux vitreux quand elle parle des gars ?

Je suis la seule à ne pas dormir. Je le sais parce que les respirations sont profondes et longues. Je ne dors pas malgré le sommeil qui me cherche, je veux rester éveillée le plus longtemps possible pour me souvenir de Christophe, de ses yeux, de sa voix, de son rire qui devient ma berceuse. Bonne nuit !

La famille !

Le jour se lève, ma fête est terminée, il faut maintenant retourner à la vraie vie, à ma famille. En route vers la maison, la pluie trempe mon linge, mouille mon visage, mais rien de tout cela ne me tire de ma rêverie. Je suis sur une autre planète, celle de l'amour, je crois. Et rien ne peut effacer le sourire qui se dessine sur mon visage… Rien, sauf les questions de ma mère qui m'étourdissent dès que j'ouvre la porte.

– Salut ma grande, as-tu bien dormi ? Est-ce que c'était bien ? T'es-tu couchée tard ? Sûrement, tu as les yeux tout rouges, je t'avais prévenue de te coucher tôt, regarde toi. Et, c'est quoi ce noir autour de tes yeux ? Mais c'est du maquillage, pourquoi es-tu maquillée ? Je le savais, il y avait des garçons, hein ! Attends que j'appelle la mère de Céleste moi, je vais lui dire moi que je refuse que ma fille passe la nuit avec des garçons…

– MAMAN ! Ça suffit. Arrête avec tes questions et laisse-moi parler. Oui j'ai bien dormi et nous avons parlé tard, mais non il n'y avait pas de garçons. Je suis maquillée parce que les filles m'ont déguisée pour ma fête. Alors, ça te va comme explications ? Et tu peux bien appeler la mère de Céleste ; elle est au courant de tout.

– Ne me parle pas sur ce ton, Savannah. Je suis ta mère à ce que je sache et tu vas me parler avec respect. Si je te pose des questions, c'est parce que je m'intéresse à ce que tu fais. Va te changer maintenant, tes tantes et ton grand-père vont arriver bientôt pour ton dîner d'anniversaire.

– Mais je n'ai pas le goût qu'ils viennent ici. J'ai d'autres projets. Je l'ai fêtée hier, ma fête, c'est suffisant.

– Mais tu as toujours aimé célébrer avec ta famille !

– Plus maintenant, j'ai quinze ans et c'est avec mes amies que j'aime fêter.

– Tu couches une nuit à l'extérieur et regarde comment tu me parles. As-tu pris de la drogue hier ?

Je ne réponds même pas, ça ne donnerait rien. Je monte à ma chambre et claque la porte. Elle m'énerve avec ses questions et ses idées de fêter en famille. Au moins, elle a cru mon histoire de déguisement. Si elle avait su la vérité, fini les sorties et les amies. Elle est tellement vieux jeu ma mère, elle croit encore qu'on joue à la poupée ! Pourtant, quelle soirée ! Je repense à Christophe, à sa voix et à ses paroles et je retrouve mon sourire. Je me laisse tomber sur mon lit et ferme les yeux pour mieux le voir. Son parfum me revient en mémoire et je respire mon oreiller comme si c'était lui. Hummm !

On frappe à ma porte. Je sursaute. Je crois que je me suis endormie.

– Savannah, qu'est-ce que tu fais ? Tu devrais être prête depuis longtemps.

– Je me suis endormie maman. Donne-moi quelques minutes et je suis prête.

– Tout le monde est là. Ne les fais pas trop attendre. Et, attache tes cheveux, ça te va mieux. Et aussi fais-moi plaisir, enlève ton maquillage, il te donne une mine affreuse. Et s'il te plaît, habille-toi décemment, mets ton pantalon bleu et ton chandail blanc.

Enfin, le silence. J'ouvre la porte, elle n'est plus dans le corridor. Je peux aller à la salle de bains tranquillement. Quand est-ce qu'elle va comprendre que je n'ai plus cinq ans et qu'elle n'a pas à tout décider à ma place. Je prends ma douche, lave mes cheveux et surtout je prends bien mon temps. Je mets mon jeans le plus sexy, je laisse mes cheveux détachés et je me poudre un peu le visage ; si elle croit que je vais lui obéir. J'entends mon nom, ma mère s'impatiente.

Mon père est en bas de l'escalier et me regarde. Il me fait un clin d'œil complice : lui non plus n'aime pas ces repas familiaux. Mais comme ma mère a décidé qu'on devait manger en famille, on n'a pas le choix. Julien est assis entre mes deux tantes, Réjane et Pauline, qui ne cessent de lui parler. Il me fait presque pitié, mais c'est bien mérité. Ce n'est pas que je n'aime pas les sœurs de ma mère, au contraire, je les adore car elles sont très différentes d'elle sauf que là, j'avais d'autres projets et je n'ai pas le goût d'être avec eux. Dès que ma mère me voit, elle devient rouge et me lance un regard glacial. Je pense qu'elle n'aime pas mon allure. Je ressens une petite pression dans ma poitrine, est-ce que j'ai été trop loin ? Non, j'avais envie de ces vêtements et c'est tout. N'empêche que je me sens un peu mal à l'aise. Ça passera, je présume.

— La voilà, notre grande Savannah, dit tante Pauline en m'embrassant.

— Tu as encore embelli, dit tante Réjane, tu vas faire perdre la tête à plus d'un gars si tu continues.

— Merci ma tante, c'est bien gentil mais pour les gars ne t'inquiète pas, pour l'instant, il n'y a pas de risque. Je ne peux même pas sortir de la maison si ce n'est pas avec mes copines.

— Elle exagère, rectifie maman, elle peut sortir mais pas avec n'importe qui. Allons manger maintenant.

Le choix de *Savannah*

Mes tantes sont toutes les deux sans enfant. Ma tante Réjane vit avec grand-papa. Elle doit s'en occuper depuis que ma grand-mère est décédée et je pense que c'est pour cela qu'elle n'a pas eu le temps de se faire un chum. Ma tante Pauline a été mariée, mais elle est divorcée depuis quelques années, ils n'ont jamais pu avoir d'enfants. Toutes les deux me considèrent comme leur fille depuis que je suis toute petite et on s'entend très bien. Elles sont toujours là pour me défendre quand ma mère est trop sévère. Elles lui disent même qu'elle devrait me laisser respirer un peu.

Tout le monde se dirige vers la table. Faut bien commencer si on veut finir ce dîner-là. Le repas est très bon et dans le fond, ce n'est pas si terrible que ça avec la famille. Mon grand-père ne parle pas beaucoup car il est dur d'oreille et n'entend pas grand-chose. Par contre, mes tantes parlent sans arrêt.

– Comment vont tes études, Savannah ?

– Elle a de belles notes, répond ma mère. Elle a plus de difficultés en français pour le reste, c'est très bien.

– Et qu'est-ce que tu penses faire cet été ?

– Elle va faire du bénévolat pour le quartier et peut-être garder chez la voisine, hein ma grande ?

– Je t'ai dit que je ne voulais pas garder chez elle, son fils est un petit monstre.

– C'est seulement trois jours par semaine et en plus, ça va te rapporter un peu d'argent de poche.

– C'est vrai ça Savannah, reprend tante Pauline, tu vas pouvoir te faire un peu d'argent. Qu'est-ce que tu vas t'acheter ?

– Elle mettra cet argent de côté pour plus tard, explique ma mère. J'ai déjà pensé à un compte d'épargne…

– Maman, est-ce que t'as fini de répondre à ma place ? Je suis capable de penser et de parler, dis-je très poliment en haussant le ton.

– Elle a raison, tu sais Solange, laisse-la parler un peu. Tu réponds et tu décides tout pour elle. Ce n'est pas très bien.

– Vous autres, vous ne savez pas c'est quoi avoir des enfants, alors épargnez-moi vos commentaires. Il faut être très stricte si on veut les garder dans le droit chemin.

– Peut-être que son « droit chemin » n'est pas le même que le tien. Je n'ai pas d'enfant, mais je sais que si tu répondais tout le temps à ma place eh bien ça m'embêterait énormément.

– Je suis sa mère et je sais ce qui est bien pour elle, alors je vais continuer à m'en occuper comme je l'ai tout le temps fait.

Le téléphone sonne. Sauvée ! Je cours vers l'appareil et décroche. C'est Céleste, qui me demande si je vais toujours les rejoindre au parc cet après-midi. Je profite du fait que ma mère discute fermement avec ses sœurs pour aller demander à mon père si je peux aller au parc ; il accepte. Céleste m'explique qu'ils vont m'attendre au parc vers quatorze heures trente. J'ai à peine le temps de reprendre ma place à table que le téléphone sonne à nouveau. Quand je décroche mon cœur s'arrête ; c'est la voix de Christophe. Il m'annonce que la gang va se retrouver un peu plus tôt, à treize heures trente. Il n'y a pas de problème, j'y serai.

Tout le reste du repas est meilleur, ma mère parle et je n'entends plus ce qu'elle raconte. Je termine mon assiette le plus vite possible et je cours à ma chambre m'assurer que je suis présentable. L'heure sonne, je descends embrasser tout le monde et laisse à mon père le soin d'expliquer à ma mère que j'ai la permission de sortir.

La glace aux confidences

– Allô ! me lance Christophe, bien assis sur le banc du parc.

– Allô. Est-ce qu'on est trop tôt ? Je ne vois personne d'autre.

– Assieds-toi, ils vont arriver dans quelques minutes.

– C'est étonnant… Céleste est toujours à l'heure et Laure, toujours en avance. Tout cela n'est pas normal, dis-je tout bas.

Alors que moi je m'inquiète, Christophe sourit subtilement. Il a un regard malicieux et un air taquin. Il me regarde intensément et comprend que je suis inquiète, alors il lâche le morceau :

– D'accord. J'avoue, c'est de ma faute si personne n'est là. Je voulais passer un peu de temps seul avec toi, alors je t'ai appelée pour avancer le rendez-vous en sachant très bien que les autres ne seraient pas là avant quatorze heures trente…

– Quoi ! Ai-je bien compris ? Tu m'as délibérément invitée au parc à l'heure où les autres étaient absents ?

– Oui, mais avec les meilleures intentions du monde. Quand on est tout le monde ensemble, on n'a pas le temps de discuter seul à seul et comme j'ai bien aimé notre échange d'hier soir, j'avais envie de répéter l'expérience. Est-ce que le motif peut suffire à me faire pardonner ?

Ça y est, voilà qu'il fait son air piteux, se met à genoux et joint les mains pour me prier de lui pardonner. Il tremble des lèvres et se sèche les yeux en feignant de pleurer. Il est vraiment comique, j'éclate de rire. Il est très bon comédien. Lui aussi, il éclate de rire, il se relève et vient me rejoindre.

– Sérieusement, est-ce que tu me pardonnes Savannah ? Parce que si c'est pour créer un malaise entre nous, je repars et reviens à l'heure du rendez-vous. J'avais le goût de te connaître un peu plus et je ne savais pas comment t'aborder.

– Je vais te pardonner, mais à la condition que tu ne me refasses plus ce coup-là. Plus de mensonges d'accord ?

– D'accord, c'est promis.

Sans savoir quoi dire de plus, on se cherche du regard. L'intensité de ses yeux et la chaleur qu'ils dégagent me font prendre conscience de ce qu'il vient de me dire : il a le goût d'être seul avec moi, de me connaître. J'oublie ce petit mensonge, mon pouls s'accélère et je rougis.

– Je t'invite à manger une glace, t'as envie ?

– Oui, j'adore les glaces.

Tranquillement, nous nous rapprochons et prenons le chemin de la crèmerie. Il sent bon, il est beau et drôle. Je me demande ce qu'il peut bien me trouver, il doit voir quelque chose que je ne vois pas. « Voyons, cesse de t'apitoyer sur ton sort et profite de cette merveilleuse journée », me dis-je. Les oiseaux chantent, le soleil brille et le plus beau gars du quartier est à mes côtés, ne me réveillez surtout pas si je rêve.

Nous commandons notre glace et nous nous installons sur la terrasse. Nous discutons de l'école, de nos goûts, de nos projets pour cet été, de son chat Mysie et de son déménagement.

– Pourquoi as-tu déménagé ?

– Pour le travail de mon père. Il ne vit plus avec ma mère depuis un an et comme ils travaillaient au même endroit, il n'en pouvait plus. Il a demandé un transfert. Et aussi parce que… parce que… parce que j'ai décidé de suivre mon père parce que j'aime bien voyager et en plus le nouveau copain de ma mère me tapait sur les nerfs.

– Depuis combien de temps est-ce que tu joues au foot avec les gars ?

– Je suis dans l'équipe de foot depuis deux semaines. Les gars sont vraiment gentils, ils m'ont accepté comme un ami de longue date. Pour eux, je joue bien au foot, donc je fais partie de la gang. Une chance, parce que je commençais à trouver le temps long sans sorties et sans amis.

– Est-ce que tu as laissé beaucoup d'amis… et de petites amies là-bas ?

– Quelques-uns. Heureusement mon meilleur ami et moi gardons contact. Il viendra cet été me voir si je ne vais pas chez ma mère. Tu verras, il est très cool. Pour ce qui est de ma petite amie… nous avions cassé avant que je déménage…

Christophe fixe le sol, son regard se perd quelques instants, il hésite un peu à continuer et soupire. Et puis, plus rien, il reprend la discussion comme si de rien n'était.

– Nous étions ensemble depuis près d'un an et tout allait bien. Du moins, c'est ce que je croyais. J'ai coupé les ponts et je suis très content de l'avoir fait. Je rencontre du nouveau monde et surtout des filles très intéressantes, comme toi. Est-ce que c'est à mon tour, maintenant, de poser les questions ?

– Excuse-moi, je suis très curieuse. Tu peux poser tes questions.

– Est-ce qu'il y a longtemps que tu connais la bande ?

– Je connais les filles depuis deux ans et les gars se sont joints à nous il y a quelques mois. On s'est entre-croisés sur le terrain d'entraînement et on a eu le goût de faire plus d'activités ensemble. On s'entend bien et je pense que certains sont de plus en plus intéressés à être plus que des amis.

– Toi ?

– Pas du tout. De toute façon, je suis trop timide. Les filles comme Macha ou Céleste correspondent plus à ce que désirent les gars : des belles filles, dégourdies, un peu aventurières, drôles, expressives.

– Ce n'est pas le genre de tous les gars. Pas le mien en tout cas. As-tu un petit ami en dehors de la gang ?

– Non, pas pour le moment. C'est un peu difficile avec ma mère, elle est très sévère. Elle ne veut pas que je sorte si c'est avec d'autres personnes que mes amies et encore moins que je fréquente des garçons. Sauf que je viens d'avoir quinze ans, je veux avoir un peu plus de liberté et elle devra s'y faire. Surtout qu'avec l'équipe de soccer, on a des compétitions extérieures et je vais pouvoir rencontrer plein de monde. Elle ne pourra pas toujours me contrôler. Une chance qu'elle travaille, elle voudrait certainement être un parent accompagnateur.

— Est-ce que tu joues au soccer depuis longtemps ?

— J'ai commencé à l'âge de sept ans. Au début, mes parents m'obligeaient et je jouais plus à ramasser du gazon qu'à courir le ballon. Ensuite, avec les années, je me suis mise à aimer ce sport et à performer un peu plus. J'ai fait plusieurs équipes et depuis deux ans, je suis dans l'équipe régionale. C'est là que j'ai connu les filles, on était toutes nouvelles, donc on s'est regroupées et ça s'est transformé en amitié.

— Tu occupes quelle position ?

— J'ai commencé à l'attaque et une fois j'ai remplacé une coéquipière blessée à la défensive. J'ai alors réalisé que je préférais la défensive et que j'y étais plus à ma place. Dans les tournois, je peux faire les deux en cas de besoin, mais habituellement je garde ma place.

— À quand le prochain tournoi ?

— On en a deux cet été et le plus gros a lieu début août, à l'extérieur. On doit attendre les résultats des finales pour savoir si on y va et où on va jouer.

– Et, ta mère, tu crois qu'elle va te laisser y aller ?

– Pour le soccer, elle fait des exceptions. Elle m'autorise les compétitions, mais elle fait une liste de recommandations à mon entraîneur et m'appelle tous les soirs. Quand j'arrive, elle pose des tonnes de questions.

– C'est parce qu'elle t'aime beaucoup qu'elle s'inquiète comme ça, Savannah. C'est une mère, c'est normal.

– Non, ce n'est pas normal. C'est une mère qui ne fait pas confiance à sa fille qu'elle traite comme un bébé. On dirait qu'elle ne voit pas que je suis grande maintenant.

– Grande et très belle aussi.

– Merci, dis-je, mal à l'aise.

– Et encore plus belle quand tu rougis, dit Christophe, en souriant.

– Arrête de te moquer de moi, sinon…

– Sinon quoi, tu vas le dire à ta mère…

Je me lève et fais signe que je vais lui lancer ma glace au visage s'il continue. Il jette sa glace et se met à courir vers le parc. Je fais de même. Arrivés au point du rendez-vous avec nos amis, je réussis à l'attraper et l'oblige à s'excuser. Nous rions de bon cœur et savourons pleinement cette complicité nouvelle qui est encore meilleure que notre glace. Je repense alors aux propos malicieux de ceux qui le disaient si « fils à papa », ils ont manqué la chance de connaître quelqu'un de bien. Tant pis pour eux et tant mieux pour moi.

Le vent souffle un peu de sa chaleur par ma fenêtre ouverte. Les yeux fixés sur la lune je la trouve particulièrement belle ce soir. La regarder m'offre un peu de calme en cette fin de congé mouvementé. Il y a d'abord eu notre soirée secrète, mon retour à la maison, le dîner avec ma famille, mon tête-à-tête surprise avec Christophe (qui fut de loin le moment le plus excitant de la journée) et mon après-midi avec la gang où on a placoté, ri et joué au soccer. On s'est bien amusé jusqu'au moment où Laure s'est foulé la cheville et que Diego a dû la porter chez elle. Je crois que les bras de son porteur lui faisaient plus d'effet que sa blessure : elle affichait un grand sourire malgré la douleur. À mon avis, ces deux-là ont passé le reste de la journée ensemble. Qui sait, peut-être auront-ils du nouveau à nous annoncer demain ?

Je prends une grande respiration, la retiens quelques secondes et la relâche tranquillement. Tout mon stress est expulsé avec cette respiration, je gagne mon lit pour la nuit. Pour m'aider à dormir, je ferme les yeux et imagine le visage de Christophe. Je fais alors le vœu qu'à nous deux, nous ne formions qu'une seule planète, celle de l'amour.

La musique et les math

Les deux semaines suivantes marquent la fin des classes et sont les plus belles. La bande se voit de plus en plus souvent et l'été rend fou la plupart d'entre nous. L'amitié semble vouloir laisser place à l'amour.

Lors de la première semaine, un premier couple s'est formé. C'est Laure et Diego. À la suite de la blessure de Laure, Diego a passé un peu de temps chez elle et je crois que cette brève promiscuité leur a permis un rapprochement suffisant pour se déclarer leur amour. Parce qu'il s'agit vraiment d'amour. Ils passent tout leur temps ensemble, ne parlent que de l'un et de l'autre, s'enlacent à chaque seconde et ne cessent de s'embrasser seulement quand le souffle leur manque. Nous sommes tous très contents pour eux, mais je suis un peu déçue d'avoir une amie en moins. Nous n'existons pratiquement plus à ses yeux et quand enfin nous la voyons seule, elle ne fait que nous parler de « Diego est tellement beau, Diego est si merveilleux, Diego m'aime si fort, je m'ennuie… » ; à tel point que nous avons décidé de ne plus l'inviter à toutes nos soirées.

Quant à Christophe et moi, toutes les raisons sont bonnes pour passer du temps ensemble. Entre les cours ou aux casiers, on réussit à se croiser, on dîne ensemble, à la fin des cours on fait le même trajet et après le souper, on rejoint la bande au terrain de football où les uns s'entraînent et les autres roucoulent. Le foot et le soccer évoluent au gré de déclarations amoureuses qui, timidement mais sûrement, font éclore de nouveaux couples.

Tout le temps passé avec Christophe m'a permis de découvrir un gars incroyable. Il est beau, doux, attentif, honnête et sensible. Bien sûr il n'est pas parfait, il n'aime pas que je lui pose des questions et il sait très bien insister quand il a décidé quelque chose. Mais bon, c'est pas grand-chose et j'aime bien ses propositions, alors je le laisse faire à sa tête. De plus, sans que je ne demande rien, il arrive à deviner ce dont j'ai envie et fait tout pour y répondre. Il sait rire et s'amuser tout en étant sérieux quand on parle seuls tous les deux. On dirait qu'il est plus vieux que les gars de son âge. Malgré tout, je sens une distance, une barrière, un entre-deux quand on aborde sa vie avant le déménagement. J'évite maintenant le sujet car il devient soucieux et froid. Y aurait-il quelque chose de secret derrière tout cela ?

Je me fais sûrement des idées. Ne passe-t-il pas tout son temps avec moi ? À me faire des compliments et à m'enlacer ? Son regard n'est-il pas langoureux ?

« Cesse donc de t'inquiéter, profite du moment qui passe et arrête tes mille et une questions ! » me dis-je un peu sévèrement. Pourquoi tout gâcher pour une simple impression ? J'aime Christophe et c'est tout ce qui compte, je n'ai pas besoin d'en savoir plus.

D'ailleurs, il ne m'a pas encore appelée. Pourtant on est vendredi. Le vendredi avant la fête de samedi, organisée chez Étienne. Ce dernier a invité toute l'équipe de foot et de soccer chez lui pour célébrer la fin de l'année scolaire. Ses parents sont au courant et tout à fait d'accord ; ils quitteront la maison pour la soirée. En tout cas, ce n'est pas ma mère qui accepterait de faire une fête à la maison. Ou peut-être que si, à la condition d'être là à nous surveiller et à s'assurer qu'il n'y a ni alcool ni gars. J'imagine quel gâchis ce serait, il vaut mieux que ce ne soit jamais chez moi.

Parlant de ma mère, elle a accepté que j'aille à la fête à condition de rentrer à onze heures, de tout lui raconter, de bien m'habiller, de ne pas me maquiller, de ne pas boire d'alcool et ne pas rester seule avec un garçon. Je le lui ai promis en croisant mes doigts derrière mon dos. Tout ce que je veux, c'est qu'elle dise oui. Pour le reste, j'improviserai à mon retour.

De toute manière, ces temps-ci, tout ce qui la préoccupe c'est le gars qui m'appelle et me reconduit après l'école. Elle a bien essayé de me faire parler, mais j'ai exigé le droit à mon intimité et j'ai mentionné que pour l'instant, ce n'est qu'un ami. N'empêche qu'elle a questionné toutes mes amies et même la mère de Céleste sur ce gars qui m'appelle pour savoir s'il est recommandable ?, s'il a de bons résultats à l'école ?, ce que fait son père ?, pourquoi il a déménagé ?, de quel endroit il arrive ? Toutes ces questions semblent si importantes pour les adultes, mais pour nous, elles ne sont que des détails anodins. Qu'est-ce que ça nous fait à nous, les ados, le métier des parents ? Non, pour nous, ce qui compte, ce sont les papillons dans le ventre, la casquette qu'il porte, les répliques qu'il fait, son style, ses yeux... et tout le reste aussi.

Incapable de rester sans bouger un vendredi soir, j'appelle Céleste :

– Salut, c'est moi, qu'est-ce que tu faisais ?

– Je pensais à Étienne et à demain soir. Qu'est-ce que tu vas porter, toi, au party ?

– Je ne sais pas encore. Probablement, mes jeans et mon chandail bleu, tu sais celui du genre camisole.

– Ok, je vais aussi mettre mes jeans, mais je n'ai pas de chandail assez bien. On pourrait aller magasiner ce soir. As-tu quelque chose de prévu avec Christophe ?

– Non. Je n'ai pas eu de nouvelles depuis ce matin, il était absent aujourd'hui. J'ai appelé chez lui et son père m'a dit qu'il était parti jeudi soir chez sa mère. J'espère qu'il sera là demain soir !

– Je l'espère pour toi, mais si tu veux que moi aussi j'y sois, allons magasiner, je n'ai plus rien à me mettre.

– D'accord, je te rejoins chez toi dans dix minutes.

Dix minutes de plus pour attendre le téléphone de Christophe. Il pourrait au moins m'appeler de chez sa mère, il pourrait... Ah, et puis, au fond il ne me doit rien, on ne sort pas ensemble. Pas sérieusement, formellement, je veux dire. Il ne m'a pas encore embrassée ni même demandé pour sortir avec lui, curieux. Il doit être plus timide que je ne le croyais. Les dix minutes se sont écoulées, je dois y aller. Je ferme la porte en gardant l'oreille ouverte mais rien, aucun son, sauf celui de mon cœur qui se brise en mille morceaux.

Assise avec Macha, je regarde le salon transformé en discothèque. Les ampoules au plafond dégagent des lumières bleues et rouges, les meubles ont été entassés dans un coin et font office de perchoir et la table du milieu sert de mini-table à musique avec la chaîne stéréo. La musique résonne si fort qu'on peut suivre le battement du rythme par les vibrations du plancher. On bouge un peu, question de se laisser aller à la fête et on se fait des signes en guise de conversation.

Même si tout le monde est arrivé depuis une heure, on dirait que la fête a débuté il y a quelques minutes. L'alcool doit commencer à faire son effet, car tous semblent plus expressifs. Quelques-uns se dandinent sur la piste de danse et exécutent des danses plutôt lascives, d'autres discutent plus près et plus près encore, il y en a même qui chantent avec leur bouteille de bière en guise de micro. C'est fou ce que les gens peuvent changer quand ils ont bu.

Je fais signe à Macha que je vais chercher à boire. Elle me répond qu'elle veut une bière et non pas du fort comme la dernière fois. Moi aussi, j'ai donné dans la boisson forte et une nouvelle expérience ne me tente guère. Arrivée dans la cuisine, je rencontre Céleste et Étienne qui se chuchotent je ne sais quoi. Elle rit très doucement et lui, il continue à lui susurrer à l'oreille. Je leur souris et quitte rapidement ce lieu où ils ont pu trouver un peu de tranquillité. Sur le chemin du retour, je croise nos deux grands disparus, Laure et Diego. Sans même voir que je passe par là, ils s'embrassent follement à la recherche d'une partie de leur corps qu'ils n'ont pas encore tripotée. Je dois faire le tour du duo qu'ils forment si je veux me rendre au salon. Surtout qu'ils ne s'empêchent pas pour moi qui est seule ce soir, sans nouvelles de Christophe ! Au moins, il y a Macha qui ne m'abandonne pas. Macha ? Macha ? Non, Macha !

Le choix de *Savannah*

Elle tourne le coin avec Jean-Philippe, le frère de l'autre, dans la cuisine. Une vraie famille de tombeurs ! Encore chanceux qu'ils aillent à l'école, sinon ils ne feraient que ça séduire les filles.

Perdue dans mes railleries de fille frustrée, je réponds froidement à deux gars qui viennent m'aborder gentiment. Pour le troisième, c'est un peu différent :

– Salut, moi c'est Math, est-ce que je te dérange ?

– Math comme Mathieu ou comme un cours de math ennuyeux…

– Non, comme Mathéo, prénom sérieusement choisi par ma mère en l'honneur de mon arrière-grand-père et Math, c'est pour mes amis… désolé de t'avoir dérangée !

Ce n'est que quand je vois son regard austère et en entendant le trémolo d'irritation dans sa voix que je réalise de quelle manière j'envoie promener ceux qui m'approchent. Faisant mon *mea culpa*, je me glisse devant lui :

– Excuse-moi, Math, ou plutôt Mathéo, je passe vraiment une soirée affreuse et sincèrement, c'est moi qui suis désolée. On reprend du début ?

– D'accord. Salut, dit-il en souriant, moi c'est Mathéo et toi, c'est bien Savannah ?

– Oui, comment tu le sais ?

– J'ai entendu quelqu'un prononcer ce nom en parlant d'une belle fille qui se transforme en sorcière et nous arrache le cœur avec ses griffes si on l'approche.

Cette comparaison me fait bien rire. Mathéo semble satisfait d'avoir décroché un fou rire. On parle ensemble pendant plusieurs, plusieurs minutes et il me plaît bien. Pas assez pour oublier Christophe, mais assez pour que je reste avec lui toute la soirée. Il dégage un je-ne-sais-quoi qui me captive ; c'est certainement son parfum aux effluves marins.

– Savannah ? Est-ce que ça va ? Tu semblais loin, me demande Mathéo.

– Ça va très bien. Je pensais seulement que cette soirée ne sera pas si mal finalement et cela grâce à ta compagnie.

– Merci, dit-il en rougissant. Tu sais Savannah, si je suis ici ce soir c'est un peu pour toi. Je suis un ami de Diego et l'autre jour, je t'ai vu jouer au soccer avec sa blonde. Je t'ai trouvée très belle et j'ai eu envie de te connaître. J'en ai parlé à Diego qui m'a invité ce soir pour que je puisse te rencontrer. Tu es encore plus belle que dans mes souvenirs et très charmante. Moi aussi, j'ai passé une belle soirée en ta compagnie, penses-tu qu'on pourrait échanger nos numéros de téléphone ?

Je reste muette, je ne m'attendais pas à une telle déclaration. J'avoue que je rougis un peu, beaucoup même, et je reste silencieuse. Je ne sais pas si les chaleurs qui s'emparent de moi sont celles de l'engouement ou du sentiment de culpabilité envers Christophe… Je suis séduite par un autre garçon, comment cela se peut-il ? Et, pourquoi pas, je ne sors avec personne moi, sauf que… Avant que j'aie le temps de pousser plus loin ma réflexion, Mathéo s'avance vers moi et m'enlace tendrement, je fais signe que non et délicatement je retire ses mains sur mes hanches. Il me regarde fixement, me mettant au défi de lui dire qu'il ne me plaît pas. Mensonge ou vérité ? Tout à coup ses yeux regardent derrière moi et ses mains se figent ; une odeur connue me traverse le cœur et je suis attirée par derrière.

– Salut, ma puce. Excuse mon retard, dit Christophe, en m'embrassant dans le cou. Allô, moi c'est Christophe et toi ?

– C'est Mathéo.

– Drôle de nom, mais merci Mathéo d'avoir pris soin de ma blonde.

– Excuse-moi, je ne savais qu'elle avait un copain. Salut Savannah et bonne fin de soirée.

L'arrivée de Christophe brise tout l'enchantement de Mathéo. Son visage livide et sa voix brisée ne m'atteignent pas le moins du monde. Tout ce qui compte à ce moment-là, ce sont les paroles de Christophe : « ma blonde ». Comme si toute la soirée n'avait existé que pour ce seul moment important. Toujours dans ses bras, je ne vois pas Mathéo qui quitte la fête, la tête basse et le sourire absent.

Je regarde Christophe, surprise par ce qu'il vient d'annoncer et dès que j'ouvre la bouche pour parler, il pose doucement son doigt sur mes lèvres et ensuite met ses mains autour de mon cou et amoureusement, il m'embrasse. L'espace de quelques secondes, je ne sais plus qui je suis. Je laisse ma bouche danser avec la sienne.

– Si je comprends bien, tu acceptes ? demande Christophe

– Accepter quoi ? D'être ta blonde ? Je ne sais pas, je dois y réfléchir.

– Est-ce qu'un autre baiser pourrait te convaincre ?

– Peut-être ? Mais avant, quand es-tu arrivé de chez ta mère ?

– Qui t'a dit que j'étais là ?

– Ton père.

– Et qu'est-ce qu'il t'a dit d'autre ?

– Rien, juste que tu étais chez ta mère.

– Ouais, je suis allé la voir parce que… parce qu'elle s'ennuyait vraiment beaucoup de son grand garçon qu'elle ne voit pas souvent.

– Ça devait être urgent, tu ne m'as même pas appelée.

– J'ai dû faire vite, elle travaillait en fin de semaine. Je devais donc y aller en semaine.

– Je ne savais pas qu'elle travaillait la fin de semaine.

– Et toi, est-ce que tu travailles pour mon père avec toutes tes questions ?

– Non, excuse-moi. L'important c'est que tu sois ici ce soir…

– … avec ma blonde, la plus belle fille de la soirée. Quand je t'ai vue avec l'autre, j'ai compris combien je tenais à toi et…

Cette fois, c'est moi qui l'arrête de parler en l'embrassant. Nous reprenons notre baiser là où nous l'avions laissé, mais cette fois le rythme est plus lent, plus languissant et sa langue vient ponctuer le tout. C'est sur ce rythme que nous terminons la soirée.

Et si on se parlait

– Quel est le métier de tes parents, Christophe ? lui demande ma mère.

– Les deux sont avocats, mon père est spécialisé dans les affaires commerciales et ma mère auprès des enfants.

– Est-ce que tu t'entends bien avec eux ?

– Oui, mais pas tellement avec le chum de ma mère. Il se prend pour mon père et ça m'énerve.

– Comment c'est de vivre seul avec son père ? Est-ce que tu vois ta mère quand même ?

– Maman ! que je dis en sortant de ma chambre. Laisse-le tranquille avec tes questions, c'est pire que la Gestapo.

– Ça ne le dérange pas. N'est-ce pas que ça ne te dérange pas, Christophe, hein ?

– Euh... non, non, madame, bégaye Christophe.

– Viens-t-en Christophe, on s'en va. J'en ai assez de ses questions, dis-je en regardant ma mère furieusement.

On sort et je claque la porte qui s'ouvre quelques instants après ; j'entends ma mère qui me crie : « Savannah, ma petite chérie, n'oublie pas de revenir pour le souper et toi, Christophe, fais attention à ma petite chouette. » Elle m'aurait giflée que ça n'aurait pas été pire. Je regarde autour et heureusement il n'y a personne dans les parages. Christophe me prend la main et l'embrasse doucement comme pour m'apaiser. Il sait tout l'effet dévastateur que son attitude surprotectrice génère en moi.

Ça fait deux semaines qu'on sort ensemble et il a déjà goûté aux questions de ma mère une bonne dizaine de fois. Il semble s'en accommoder, mais pas moi. Chaque fois que je reviens d'une sortie, elle me demande ce que nous avons fait, s'il est respectueux, si nous étions seuls... Habituellement, je me fâche à la troisième question et cela coupe court à notre discussion. Mon père ne dit pas un mot, il calme ma mère et vient me voir ensuite pour que je comprenne qu'elle s'inquiète et c'est parce qu'elle m'aime qu'elle fait ça. Je n'en peux plus d'entendre cette phrase, comme si j'étais le parent, qui devait comprendre son enfant insécure. Je suis une ado et la chose la plus impossible pour moi, c'est bien de comprendre ma mère, comme si ça se pouvait !

Quand je lui ai dit que j'avais un petit copain, elle s'est mise dans tous ses états ; « Tu es trop jeune », « Tu ne le connais même pas », « Est-ce qu'il prend de la drogue ? », « Pourquoi ça arrive maintenant ? » On aurait dit que je lui annonçais que j'avais une maladie incurable. Ce soir-là, j'ai entendu mes parents parler pendant une bonne partie de la nuit. Ma mère sanglotait et mon père la consolait. Le lendemain, elle semblait résignée à ce que je grandisse un peu et m'a annoncé qu'elle acceptait que je sorte avec un gars, mais qu'elle devait le connaître, être présentée à ses parents, pas de sortie après onze heures, ne pas aller chez son père si nous sommes seuls, lui dire où nous allons, continuer le soccer... Et j'en passe.

Je lui ai donc présenté Christophe, elle a parlé à son père au téléphone, je rentre avant onze heures, nous allons chez moi si son père est absent et évidemment que je continue le soccer. Comme si j'avais besoin d'elle pour savoir quoi faire. Étant donné que je veux la paix, je me plie à ses exigences, mais quand j'y pense, ça m'attriste un peu parce que tout l'espoir que j'avais de pouvoir un jour m'ouvrir à ma mère s'est effacé avec ses soupçons, ses questions et ses inquiétudes. Pourquoi je lui ferais confiance si elle ne me fait pas confiance ?

En m'entraînant au soccer ce jour-là, le jour de « Christophe, fais attention à ma petite chouette», je ne vois même pas que je compte dans mon propre but. Macha fait de grand signe et on arrête le jeu.

Les filles ont bien senti que je n'allais pas bien. Qu'est-ce que je deviendrais sans elles, mes chères amies ?

– Qu'est-ce que tu as Savannah ? demande Céleste.

– C'est ma mère, depuis que je sors avec Christophe, elle est encore pire. Elle ne me laisse pas de répit entre ses questions et ses yeux accusateurs. Vous ne savez pas la dernière ? Elle s'est surpassée.

Et je leur raconte ce qui vient de se passer.

– Vraiment, c'est le summum de l'humiliation, conclut Macha. Je t'avais prévenue de ne pas lui dire que t'avais un copain. Tu la connais, tu savais qu'elle en ferait un drame.

– Franchement, elle exagère ta mère. Tu as quinze ans, qu'elle te laisse vivre un peu. Elle ne pourra pas tout le temps te contrôler comme ça, réplique Céleste. Tu n'as pas le choix, tu dois lui parler, lui dire que tu en as assez, que ça ne peut plus durer.

J'écoute mes amies et je me sens mal. Elles parlent de ma mère comme d'une insensée… Je l'aime, moi, ma mère, même si elle est un peu extravagante. De quel droit elles papotent ainsi de sa façon de s'occuper de moi. Je réalise brusquement que leurs propos ont une source, ils proviennent de quelque part, de quelqu'un : moi. Ce qu'elles me renvoient aujourd'hui, c'est l'image que je trace de ma mère, ce que je dis d'elle, ce que je pense d'elle. Je me sens comme un monstre d'orgueil, une égoïste, une enfant gâtée qui ne voit pas plus loin que sa petite personne. Comment ai-je pu dire ces choses de ma mère ? Revoilà cette sensation qui me serre le cœur, comme si je m'étouffais avec son amour dont j'avais tant besoin. Trop difficile de penser que je puisse être aussi déloyale. Je me dis que dans le fond, c'est elle qui a voulu ça, c'est elle qui m'y a poussée avec sa surveillance exagérée.

Décidément, il est grand temps que nous nous parlions elle et moi, et non pas de parent à adolescente, mais de femme à femme. En utilisant le même langage, peut-être pourrons-nous nous comprendre ?

J'arrive à la maison en courant. Encore essoufflée, je fais une pause avant de chercher ma mère. Je perçois un ton familier qui provient de la cuisine, celui de ma mère quand elle chuchote au téléphone.

– Bien oui, Sylvie, elle est partie en claquant la porte. Et moi qui fais tout pour elle, qui me sacrifie pour lui payer son linge et ses sorties. Comment peut-elle être aussi ingrate ? Depuis qu'elle sort avec ce gars, elle a changé. C'est sûrement lui qui lui monte la tête contre moi. Je te jure, elle me répond bête, m'évite quand j'arrive et, si j'ai le malheur de lui poser une petite question, elle s'enferme dans sa chambre. Je pense que je vais lui dire de rompre avec ce gars, il a une mauvaise influence sur ma petite fille...

Je n'en reviens pas, elle raconte ma vie à tout le monde. Là, elle dépasse les bornes. Je tape du pied très fort, très très fort pour que ma mère l'entende. Elle se retourne et dit : « Sylvie, je te rappelle plus tard. » Elle dépose le téléphone et garde le silence, comme un enfant qui s'est fait prendre à manger un biscuit avant le souper. Je ne sais pas par quel miracle je garde mon calme, mais je réussis à lui dire :

– Maman faut qu'on se parle.

– Tu as raison ma fille. C'est justement ce que je disais à Sylvie. Je suis contente de voir que toi aussi tu sens un changement depuis que tu sors avec lui.

– Lui, c'est Christophe et laisse-le en dehors de ça. Il faut qu'on parle de toi et de moi.

– Moi ?

– Oui maman. Toi et ton attitude surprotectrice...

– Surprotectrice ? ? ? On ne protège jamais assez nos enfants. Savannah tu n'as que quinze ans, tu es jeune, le monde est fou et tu as encore besoin de moi. Tu penses qu'à cet âge on est capable de prendre de bonnes décisions ? La seule que tu aies prise c'est celle de sortir avec... avec ce gars-là et je ne pense pas que ce soit une bonne décision. Tu es devenue tellement distante, d'ailleurs, je pense que tu devrais y mettre un terme...

– Jamais ! je crie, je hurle mais je répète : Jamais ! Tu sais ce qui me rend distante, ce sont tes questions, tes infectes questions sur tout ce que je fais. Je me sens épiée, surveillée et incapable de faire quoi que ce soit de bien. Pourquoi ? Tu me traites comme si j'avais encore huit ans, tu me parles comme un bébé et tu ne me fais jamais confiance ; laisse-moi donc grandir. Tu n'as pas remarqué que j'ai grandi, tu n'as pas vu ça, hein ! T'as pas eu le temps, tu es bien trop occupée à diriger ma vie sans te préoccuper de ce que, moi, je suis devenue. Le problème, c'est que tu penses que tu sais mieux que moi ce qui est bien pour moi. Comment tu pourrais le savoir, tu ne demandes jamais mon avis, mes idées, mes envies... Les seules questions que tu poses, c'est pour me contrôler, non pas pour me connaître. Après tu vas me dire que tu fais tout ça parce que tu m'aimes, ben si l'amour d'une mère c'est d'étouffer ses enfants avec son amour, j'espère que je ne serai jamais une mère aussi aimante que toi...

Je pleure maintenant. Je pleure parce que je vois les yeux de ma mère qui versent des larmes en silence, parce que je me sens bien d'avoir enfin vidé mon sac, parce que je ne sais plus si je pensais tout ça, parce que je doute de mes paroles, parce que j'aime ma mère malgré tout ce que j'ai dit.

Je ne sais plus quoi faire : la consoler, rester là ? C'est trop dur de voir sa mère pleurer, surtout quand c'est notre faute. J'ai besoin de me calmer, de respirer autre chose que l'air de ma maison. Je pars.

Mes pas me mènent à l'étang. Là, le silence me réconforte et le chant des grenouilles m'apaise. Je peux prendre une pause et ne plus rien penser. J'admire la nature si grande et si riche de sens, pourquoi n'est-ce pas semblable à l'intérieur de moi ? J'envie toute la sérénité de cette nature et c'est probablement pour cela qu'elle me fait un si grand bien. Je me calme et après une heure, je me sens prête à rentrer.

Dès que j'arrive à la maison, je sens mes épaules s'alourdir. Je me dirige vers ma chambre où ma mère est paisiblement assise ; le calme avant la tempête. On se regarde sans oser se fixer et on ne sait pas quoi faire… On voudrait bien parler pour soulager le silence qui pèse plus lourd qu'une tonne.

Tout simplement, elle ouvre les bras et me dit : « Je m'excuse pour ce mal que je t'ai fait, pour cette peine que j'ai nourrie, je m'excuse de si mal t'aimer. Tu sais, je n'ai jamais eu d'adolescente, j'apprends en même temps que toi ce que cette étape de vie implique. C'est difficile pour une mère de voir ses enfants grandir et sais-tu pourquoi ? Parce que ça veut dire qu'on ne peut plus les protéger tout le temps et qu'ils risquent de se faire mal. Mais, tu as raison, je dois te laisser aller, apprendre de la vie. Cependant, je ne pourrai pas toujours te dire oui parce que ça aussi ça fait partie de la vie, mais je suis d'accord pour te laisser plus de liberté. Veux-tu me montrer comment on peut aimer sa fille qui grandit sans la blesser ?

Elle m'aime donc malgré tout ce que je lui ai dit ? Je me réfugie dans ses bras et, en sanglotant, j'essaie de m'excuser. Elle comprend et me berce lentement en chantonnant. Je suis bien. J'ai l'impression qu'on enterre enfin la hache de guerre. Je ne sais pas si on va trouver la voie pour une meilleure entente, je sais que, maintenant, juste là, à ce moment-là, je sens ses mains douces m'apaiser et tout l'amour que j'ai pour elle ; j'ai envie de nous faire confiance, de croire que demain sera meilleur.

C'est quoi l'amour ?

Nous sommes à la mi-juillet et les entraînements de soccer se font plus difficiles. La chaleur n'aide pas et l'absence de plusieurs joueuses, non plus. On a joué quelques matchs et on en a gagné deux. Il nous manque une victoire pour participer au dernier tournoi, celui à l'extérieur de la ville. Christophe vient me voir jouer quand il n'est pas chez sa mère. Il s'absente souvent, et heureusement, quand il est là, il n'est qu'avec moi et ça me va. On n'a plus revu Laure et Diego, qui ne semblent pas souffrir de la chaleur parce qu'ils sont toujours enlacés. Céleste et Étienne ont finalement décidé de sortir ensemble. Ils forment un beau couple mais ils ne passent pas beaucoup de temps ensemble. Macha fréquente le frère d'Étienne et comme il ne veut pas de blonde, elle parle de son « faux chum » et passe tous ses samedis soirs avec lui (parfois même la nuit). Tout le monde est heureux surtout lorsqu'en plus on gagne au soccer.

Depuis la discussion avec ma mère, il y a une semaine, l'ambiance est moins lourde et certaines choses ont changé dont la permission de rentrer plus tard les fins de semaine et de passer la soirée chez Christophe. Si son père est absent durant la soirée, je dois en informer ma mère et lui promettre un tas de choses.

Bizarrement, cette nouvelle liberté m'a mise devant une réalité que je n'avais pas entrevue. Celle de l'intimité, de la possibilité de faire l'amour avec Christophe. Quand nous sommes seuls, je le sens plus près, plus languissant et ses mains se baladent plus longtemps sur mon corps. Comme maintenant, où depuis quelques minutes, il se presse contre moi en respirant plus rapidement. Je le repousse délicatement :

– Savannah, qu'est-ce qu'il y a encore ? Tu n'arrêtes pas de me repousser depuis quelques jours, tu ne m'aimes plus ?

– Tu sais bien que je t'aime. C'est juste que je suis un peu nerveuse quand tu m'embrasses comme ça. On dirait que tu en veux plus.

– C'est normal, je t'aime et je te veux toute à moi. On n'est plus des enfants, tu as quinze ans et j'en ai seize.

– … est-ce que… as-tu… as-tu déjà fait l'amour Christophe ? que je demande gênée.

– C'est sûr voyons, j'ai seize ans. J'ai eu ma première relation sexuelle à treize ans. Nous autres les gars faut faire ça vite, sinon on se fait traiter de tapette ce n'est pas long. Et toi ?

– Heu… non, dis-je presque en chuchotant.

– C'est pour ça que tu t'inquiètes, tu as peur ? Savannah, jamais je ne te forcerais à faire quelque chose que tu ne veux pas. Je peux attendre que tu sois prête. L'es-tu ?

– Ce soir ? Je pense que non. Je ne ressens pas l'envie d'aller plus loin. Ça fait juste trois semaines qu'on sort ensemble.

– C'est d'accord. Mais j'espère que ça prendra pas un an avant que tu aies le goût parce que moi l'abstinence ce n'est pas mon fort.

Il remet son chandail et s'assoit au bout du divan. Je vais me blottir près de lui mais il reste distant, aurais-je dû dire « oui » ? Il m'aime, il va comprendre. Je l'embrasse, garde le silence. Il y a des fois où l'on sent qu'il vaut mieux éviter de poser des questions au risque de ne pas aimer les réponses.

Le parfum de rose qui flotte dans la pièce est enivrant. Il me donne le goût de m'ouvrir, de m'épanouir comme les pétales de cette fleur qui sont, certes, les plus beaux et les plus fragiles. Sur sa tige, des épines servent de garde du corps pour que les seules mains qui puissent s'en emparer soient celles de Dieu ou des hommes de bonne volonté. Ce soir, pendant que Christophe m'embrasse, je me sens comme cette fleur. Il est si doux et si habile de ses mains que tout mon corps frissonne, j'ai envie d'éclore. C'est peut-être le signe que j'attendais pour dire que je suis prête. Je le laisse donc me déshabiller. Mais dès qu'il déboutonne mon jeans et le fait glisser sur le plancher, c'est plus fort que moi, je fige. L'odeur de la rose a disparu et le sourire de Christophe aussi.

– Mon père est parti pour la soirée, ne t'inquiète pas. Nous pourrons prendre notre temps, une première fois, c'est spécial.

– Justement, je pense que je ne me sens pas encore prête…

– Quoi ? Pas prête, ça fait un mois qu'on sort ensemble, il me semble que j'ai été assez patient. M'aimes-tu vraiment Savannah ? Parce que là, je t'avoue que je doute sérieusement…

– Je t'aime, voyons.

– Prouve-le, faisons l'amour ce soir.

– Je te le prouve tous les jours. L'amour ce n'est pas juste le sexe.

– Mais ça en fait partie.

– Dans l'expression « faire l'amour » on parle d'amour pas juste de « cul ».

– Qu'est-ce que tu veux, là ? Que je te demande en mariage ? Que je te promette de t'aimer pour la vie ? C'est impossible ça, ma belle, et tu sais pourquoi ? Parce que, pour nous les gars, l'amour c'est de trouver que sa blonde c'est la plus belle, de vouloir l'embrasser tout le temps, d'être bien avec elle en regardant un film, c'est de la désirer, c'est de sentir le désir nous brûler quand on la touche mais c'est tout. Quand on dit « je t'aime » à une fille on lui dit « je te désire ». Pour les sentiments, oublie ça. La seule place où on peut montrer un peu d'émotion, c'est dans le vestiaire des gars, après une partie de foot. Si on le fait en dehors de ça, on n'est pas un vrai gars.

– Pour moi, tu seras toujours un vrai gars.

– Ouais, un vrai gars que tu n'aimes pas autant que tu le dis, que tu ne désires pas !

– Je te désire à ma façon, j'ai envie d'être près de toi, de passer du temps avec toi, de rire, de t'embrasser, de me sentir aimée.

– On l'a déjà fait tout ça, c'est le temps de passer aux choses sérieuses maintenant. Ça fait un mois qu'on se rapproche, qu'on se connaît et que j'ai envie de toi. Sais-tu ce que c'est que d'embrasser une belle fille comme toi et de ne pas pouvoir faire l'amour avec elle ? J'ai envie d'aller plus loin, fais-moi confiance, on est rendus là ensemble. Je vais faire attention, c'est promis.

– Je sais que tu vas faire attention. C'est juste que…

Il descend de son lit et s'assoit. Il soupire. Je ne peux pas dire de quelle couleur est son visage qui ne me regarde plus, mais ses mains se cherchent. Il tape des doigts sur ses cuisses et ramasse son pantalon. Il ne sait pas quoi faire avec parce qu'il le promène d'une main à l'autre, il est nerveux. Il me dit d'un ton posé, froid, sans rien :

– En tout cas, Savannah, pour moi, nous deux, c'était du sérieux. J'étais prêt à tout pour toi, même à attendre que tu sois prête à faire l'amour, mais là ce que tu me dis c'est que, malgré toute ma patience et mon amour, tu n'en as toujours pas envie. Je ne sais pas quoi faire de plus pour te prouver que je t'aime. J'ai même repoussé plusieurs filles parce que je pensais que tu m'aimais. Tu te rends compte, il y a plein de filles qui me voulaient et moi je disais non parce que dans mon lit, c'était toi que je voulais. Si tu ne me penses pas à la hauteur pour ta première fois, ou pire encore, si tu ne m'aimes pas assez pour me faire confiance et t'abandonner à moi, je pense qu'on ne va pas dans la même direction. C'est peut-être le moment...

– Non, Christophe, ne le dis pas. Je ne pensais pas que...

– Tu ne pensais pas que tu étais aussi désirable ? Sexy ? T'es belle Savannah, t'es tout le temps belle pour moi. Comment je pourrais ne pas avoir envie de toi ? Je t'aime à ma façon... mais c'est ton choix et ta vie.

Cette fois, c'est d'une main décidée qu'il saisit son pantalon et l'enfile. Il ne me regarde pas mais, au rythme de son souffle, je sens qu'il est énervé. Je panique, est-ce que je vais le laisser partir ? Pourquoi je ne me sens pas encore prête, on sort ensemble depuis un mois, ça fait trente jours c'est long ça ! Je ne pensais pas qu'il m'aimait autant. Et moi qui fais toute une histoire avec ma première fois, mon déclic intérieur qui me dira quand je serai prête à faire l'amour. S'il me dit que nous en sommes-là, ne devrais-je pas lui faire confiance ? Il m'aime après tout, de quoi ai-je besoin de plus ? J'ai plus peur de le perdre que de faire l'amour, c'est certainement le signe que j'attendais. J'ai une crispation dans le ventre, un désir de le prendre dans mes bras, d'être près de lui, de sa tendresse, d'être aimée de lui... une première fois faut bien que ça se fasse !

– Ne t'en va pas Christophe, reste je t'en prie. Tu as raison, notre amour doit se prouver l'un à l'autre. Je t'aime et ce soir je te fais confiance, tu es mon amour et j'ai envie de toi, de ton amour…

Je lui retire son pantalon et l'embrasse sensuellement. Mes mains flânent près de son sous-vêtement.

– T'es certaine ma puce. Je ne veux pas t'obliger… je t'aime trop pour ça… c'est juste que…

Je détache mon soutien-gorge et le laisse s'affaler sur le sol, avec nos autres vêtements. Je l'oblige à se taire et lui prends les mains que je dépose sur mon corps.

-T'es tellement belle, tu m'excites au maximum. Savannah je t'aime…

Ses dernières paroles se terminent dans mon nombril. Tout ce qu'il chuchote par la suite meurt entre sa bouche et mon corps. Étendue sur le lit, j'arrive difficilement à ouvrir l'enveloppe du condom. Mes mains tremblent, je crois. J'ai une boule au fond de la gorge. Je ne sais toujours pas si je suis prête mais je l'aime et, juste à cette pensée, toute ma chair appelle à l'amour. Pour moi, c'est ça faire l'amour, partager un sentiment commun et ce soir, j'ai vraiment envie de l'aimer plus qu'avant. Toutes ses caresses me font vibrer et pendant quelques secondes, je me sens à contre-courant de mon corps, je lui intime l'ordre de taire tous les signaux qui me font douter de ce moment intime. Et si je me trompais ? Je lui tends le condom qu'il déroule habilement sur son membre et soudainement plus de caresses, de douceur, juste un mouvement saccadé entre mes cuisses. Une douleur lancinante me fait échapper un « aïe». Il ralentit : « Ça va ma puce ? », « Oui... »... Il n'en faut pas plus pour qu'il continue la poursuite de son assouvissement. Ses mains sur mes seins ne bougent plus, sa bouche dans mon cou ne danse plus et ses yeux se ferment à chaque pénétration. Je laisse le désir monter en moi mais rien. J'attends encore quand Christophe émet un drôle de râlement.

– Excuse-moi ma puce, j'ai été vite un peu. Est-ce que t'as eu mal ?

– Oui, mais juste un peu.

– Tu vois, on est déjà plus près l'un de l'autre, on s'aime encore plus fort n'est-ce pas ? Je peux comprendre que la première fois ce n'est pas la meilleure, mais attends qu'on recommence. Tu sauras quoi faire et moi je vais penser un peu plus à toi. Ça faisait si longtemps que j'attendais...

Il retire le condom et se dirige vers la salle de bains. Toujours étendue, j'attends de sentir les changements s'opérer en moi. Rien. Restée sur mon appétit de caresses, je me demande encore si nous avons vraiment fait l'amour, je veux dire pas juste physiquement, mais en partageant l'amour. J'ai bien senti une douleur et un peu d'excitation pendant la pénétration, mais pas du plaisir et de l'émotion comme dans les films. Ça doit faire partie des effets spéciaux, je suppose. Je ne me sens ni mal ni bien, juste un peu déçue. C'est que j'attendais ce moment avec impatience, ma première fois, et c'est si ordinaire que je me demande pourquoi j'en ai fait tout un plat.

Christophe revient et, satisfait, s'allonge près de moi et s'endort. Pendant qu'il sommeille, je me demande à combien par semaine s'élève le nombre de fois où l'on doit faire l'amour et si c'est toujours de la même façon. Toutes des questions que je n'avais pas besoin de me poser avant. Que c'est compliqué de grandir et de se demander ce que l'on veut vraiment, ce qui est bien ou mal. Je me lève et je m'habille en respirant silencieusement. Il est tard, il fait noir et je n'ai pas envie de faire la route à pied et toute seule. Comme Christophe dort profondément, je décide d'appeler ma mère pour qu'elle vienne me chercher en voiture. Elle accepte sans poser de question.

Dans la voiture, je la regarde et une impulsion me saisit le cœur. Je veux lui dire, me confier, lui poser des questions, me faire rassurer, me blottir dans ses bras juste comme ça, pour un amour gratuit. Mais je ne peux pas, elle ne comprendra pas, elle ne voudra plus que je fréquente Christophe. Elle a changé mais tout de même ! Nous gardons toutes les deux le silence jusqu'à la maison. En sortant je lui dis : « Merci maman. » Elle s'avance vers moi et me caresse les cheveux.

– Je suis contente que tu m'aies appelée, je n'aurais pas aimé te savoir dans la rue seule le soir. Tu viens de me prouver qu'on peut te faire confiance, j'espère juste que tu n'abuseras pas de cette confiance en faisant des bêtises…

Et, sur le point de terminer cette phrase par une question, elle retient son souffle et doucement elle laisse sa main s'attarder sur ma joue. Elle embrasse le revers de ma main et me laisse là, interloquée. Elle voulait savoir, mais n'a rien demandé.

Une larme coule sur ma joue, elle savait que la réponse à cette question serait déchirante et ne l'a pas posée ; elle a respecté mon silence sans poser cette question qui m'aurait obligée à mentir ; comme c'est grand le cœur d'une mère pour contenir à la fois tout l'amour pour ses enfants et toute la peine qu'ils lui font parfois.

Quand la vérité
trouve son chemin

Le soleil brille encore quand juillet tire sa révérence et laisse août prendre la relève. Christophe et moi sommes toujours ensemble, Laure et Diego aussi mais pas Étienne et Céleste. Ils ont conclu que leur relation était plus simple quand ils étaient amis. Macha essaie d'oublier le frère d'Étienne qui s'est fait une blonde de son âge. Toutes les quatre, nous sommes encore de grandes amies et Laure est un peu plus présente. Nous lui avons parlé de son attitude et elle nous a donné raison. Nous sommes très contentes qu'elle soit avec nous ce soir et en fin de semaine, pour le grand tournoi. Eh oui, nous avons gagné les deux derniers matchs et partons pour les finales, demain. Un match vendredi et un samedi, et ce qui est encore mieux, c'est qu'il se déroule dans l'ancienne ville de Christophe. Il y passe d'ailleurs la semaine et je lui ai dit que nous avions perdu le match pour lui faire la surprise de ma visite. J'ai vraiment hâte de voir sa maison et ses amis de là-bas. Nous partons avec les parents de Céleste, c'est pour cela que ce soir, nous couchons toutes chez elle. Nous allons en profiter pour placoter un peu.

Toutes en tenue pour la nuit, on étend nos sacs de couchage. On tamise la lumière et ça prend bien cinq minutes avant qu'on commence à papoter, mais une fois que c'est parti, on parle toutes en même temps. On s'était promis de ne pas parler des gars mais c'est plus fort que nous ; on veut tout savoir de tout le monde.

On apprend que Laure et Diego n'ont pas encore fait l'amour. Ça peut paraître bizarre mais ils ont décidé de prendre leur temps et que leur première fois souligrerait leur deuxième mois de fréquentation, ce qui a lieu la semaine prochaine. Ils ont prévu une soirée très romantique et Laure ne cesse d'en parler. Elle dit qu'elle en meurt d'envie, que d'avoir attendu d'être prête rend cette occasion palpitante et comme ils ont appris à connaître leur corps par mille et une caresses, ils savent ce que l'autre aime ; ce qui promet tout un feu d'artifices !

Céleste dit qu'elle n'a pas été aussi loin avec Étienne, il a bien essayé, mais comme elle ne l'aimait pas vraiment et qu'elle n'en avait pas envie, elle a refusé. La rupture est arrivée quelques jours après et Céleste vit très bien avec cela ; elle dit que si elle fait l'amour c'est avant tout une affaire de plaisir, pas d'obligation.

Quant à Macha, elle ne parle pas beaucoup. Elle dit qu'elle pensait que le frère d'Étienne était amoureux d'elle mais que finalement c'était plus physique qu'autre chose. Cependant, ils ne s'étaient jamais rien promis et, chacun de leur côté, ils pouvaient rencontrer d'autres gens. Mais ce qui est fait est fait et elle a bien aimé passer l'été avec un gars d'expérience, comme lui. Ils ont fait l'amour et Macha nous avoue un peu timidement (ce qui est rare) que c'était à sa demande ; et quels moments de plaisir ce fut ! Le seul problème c'est que son désir, au lieu de diminuer, a augmenté et son seul regret, c'est de ne pas en avoir assez profité !

C'est maintenant à moi de parler, elles me posent un tas de question sur Christophe, son corps, son regard amoureux et sur notre intimité. Je n'ose pas leur avouer que ma première fois a été si ordinaire, alors je leur dis que nous en avions discuté et quand je me suis sentie prête, nous l'avons fait. J'emprunte des termes employés par Macha et Laure pour parler du désir que j'avais de lui et de la nouvelle complicité que cela apporte à notre relation. Je leur dis aussi que nous le faisons régulièrement. Je leur raconte également ce qui s'est passé quand ma mère est venue me chercher et là, elles sont surprises ! C'est drôle qu'on parle de sexe depuis tout à l'heure et on trouve ça normal, mais quand je parle de ma mère qui me respecte tout le monde est surpris ; c'est le monde à l'envers !

Pendant qu'elles continuent de s'extasier de leur été et de leurs amours, je me surprends à être jalouse. Pourquoi moi je ne suis pas aussi heureuse qu'elles ? Pourtant je voulais faire l'amour avec lui ; je voulais parce que je l'aime. Pourquoi elles ont tant de plaisir quand moi j'attends patiemment qu'il s'empare de moi comme il s'empare de Christophe. Je vais en parler à Christophe, peut-être qu'il ne le sait pas ? Et s'il le savait déjà ?

Dès l'aube, nous partons. Bien assises dans la fourgonnette, nous avons chacune notre occupation, lire, écrire, écouter de la musique ou rêver. Moi, je pense à Christophe et à sa joie quand il me verra. La chaleur m'étouffe, je blêmis et le mal de cœur m'oblige à demander un peu d'air climatisé. « J'espère que tu ne feras pas comme la semaine passée, perdre connaissance sur le terrain… »,« Laisse-la tranquille, il faisait au-dessus de trente degrés », « Ouais et dans l'autre équipe aussi c'est arrivé ! » La mère de Céleste nous demande de nous taire et me donne un peu d'eau. Je reprends des couleurs et, mis à part le mal des transports, tout se passe bien.

Arrivées à destination, nous nous préparons rapidement. Nous sommes arrivées un peu tard et notre match débute dans trente minutes. Je n'ai pas le temps d'avertir Christophe, mais j'irai le voir ce soir. Je mets mon équipement de protection, mon chandail, mes bas et mes souliers. Nous allons assister aux dernières minutes du match précédent, car c'est l'équipe gagnante que nous affronterons demain.

Voilà, c'est à nous ! Nous prenons possession du terrain et faisons nos échauffements. Dès que l'arbitre arrive, nous commençons la partie. Je joue à la défensive et comme l'autre équipe attaque beau-coup, je cours sans arrêt. Il fait encore très chaud et je commence à être très essoufflée. J'ai besoin d'eau et de repos. Je fais signe à mon entraîneur qui me répond par la négative. Je fais quelques bottés et tout à coup je ne vois plus rien.

Je ne vois plus rien jusqu'à ce que j'ouvre les yeux à l'infirmerie. « Elle a repris conscience », dit une voix inconnue.

– Tu nous as fait peur, Savannah, me dit l'entraî-neur, tu ne joues plus pour ce match. Repose-toi cet après-midi pour être en forme demain.

L'infirmière me donne mon congé quelques minutes après. Elle me fait penser à ma mère quand elle me donne sa série de recommandations. Cet après-midi de congé tombe au bon moment, il va me permettre d'aller voir mon beau Christophe. Je retire mon équipement, prends ma douche, me parfume, enfile mon jeans et mets ma camisole rose (celle que Christophe préfère).

Une fois dans le taxi, j'hésite entre deux adresses. Dans le bottin téléphonique, il y avait deux « Jacinthe Dumont ». Je vais essayer la première. Le trajet est assez long pour que je puisse me familiariser avec ce nouveau paysage. J'ai même le temps de préparer deux ou trois scénarios pour dire « bonjour » ou « surprise ».

J'ai le cœur léger malgré cette étouffante chaleur qui me donne des soubresauts. Nous arrivons à la première adresse et je demande au chauffeur d'attendre que je lui fasse signe.

Je cogne à la porte et un homme d'à peu près cinquante ans vient me répondre. Il me fait entrer à l'intérieur, mais son air froid et son ton tout aussi glacial me mettent mal à l'aise.

– Oui, mademoiselle, que voulez-vous ?

– Bonjour Monsieur, je suis Savannah et je cherche un certain Christophe, est-ce ici qu'il habite ?

– Oui, c'est bien ici qu'il habite, mais il n'est pas là pour le moment.

– Est-ce que vous l'attendez bientôt ?

– Je ne sais pas. Il est chez sa copine Sandy depuis deux jours et quand il est là, on ne sait jamais quand il revient. C'est comme ça à toutes les fois depuis son déménagement. Il arrive, dit bonjour à sa mère, m'ignore complètement et part chez sa copine. Voulez-vous lui laisser un message ?

Je n'arrive plus à penser, il a dit « sa copine ». Son beau-père a dû se tromper, il doit parler de « son copain », son meilleur ami, celui qu'il voulait me présenter. Christophe m'a dit que cet homme était mauvais et qu'il aimait lui faire du tort. C'est ça! Ça ne peut être que ça. Il veut faire du mal à Christophe en inventant toute cette histoire. Mais... si c'était vrai... non... C'est impossible. J'ai le cœur qui se gonfle comme une marée qui voudrait faire céder un barrage et mes mains se mettent à trembler comme pour saisir toute cette inondation...

– Vous allez bien mademoiselle? me demande le monsieur sur un ton un peu plus chaleureux.

– Heu... oui... oui je vais bien. C'est la chaleur... Christophe avait promis... à mon équipe de soccer de... nous faire visiter la ville mais tant pis. On va se débrouiller seules. Merci monsieur et bonne journée, dis-je le souffle court.

Je n'entends pas ses dernières paroles parce que j'ouvre la porte précipitamment. Je ne pourrai pas retenir mes larmes bien longtemps et je dois m'éclaircir les idées. Je vois le taxi et lui fais signe que j'arrive. Près du taxi un jeune couple s'embrasse et me barre la route, je leur demande poliment de s'écarter pour que je monte dans le taxi...

– Excuse-nous, dit la fille. Viens Christophe, allons chez toi même si ton méchant beau-père va nous espionner!

CHRISTOPHE! Elle a bien dit CHRISTOPHE! Je m'arrête, pétrifiée et le fusille du regard. Ces cheveux, ce chandail, ce pantalon, ce rire, cette voix, c'est bien lui. Il doit sentir mon regard peser sur sa nuque parce qu'il se retourne tranquillement et là, il devient aussi livide que moi. Ses lèvres bougent mais aucun son ne sort, son regard pivote entre elle et moi puis dans tous les sens, mais il est déjà trop tard. Je m'engouffre dans le taxi en demandant au chauffeur de me ramener au terrain, que ce n'était pas la bonne adresse.

– Vous êtes certaine que ce n'était pas la bonne adresse mademoiselle, parce qu'en arrière, il y a un type qui court en faisant de grands signes.

– J'en suis certaine. Ne vous arrêtez pas, s'il vous plaît. Ne vous arrêtez plus jamais, que je murmure en essuyant mes larmes.

Dernières paroles
d'un condamné

Hier soir, toute l'équipe de soccer a dormi au gymnase de l'école et personne n'a eu le droit d'entrer ou de sortir. Aussi je n'ai pas eu à m'inquiéter de l'apparition soudaine du mufle qui se disait amoureux de moi. C'est bientôt le matin et je me tortille dans mon sac de couchage, je prétexte des étourdissements pour m'isoler un peu. Comment dire aux filles que j'ai été aussi stupide ? Comment m'avouer que les ragots colportés sur lui étaient vrais ? Je ne peux pas leur donner raison. Ce serait comme si j'avais été prévenue que c'était un charmeur, un « fils à papa »qui n'accepte pas les refus et qui est toujours le gagnant et que j'avais consciemment joué avec le feu. Mais même si je ne leur disais jamais qu'ils avaient raison, je repense à toutes les fois où il partait chez sa mère, les soirs de party où il appelait supposément sa mère, qu'il disait que son beau-père l'empêchait de m'appeler, cette hésitation à dire qu'on sortait ensemble, le travail de fin de semaine de sa mère… Une armée de détails s'attaque à mon esprit et s'éclaircit en usant d'armes aussi cruelles que la colère, l'amertume, la jalousie et la vengeance. Je souhaite qu'il n'ait jamais existé et que ses prochains jours soient noirs de regrets. Je cherche un plan de représailles pour l'anéantir. C'est alors que dans mon esprit résonne une phrase, celle que je pourrais lui lancer pour l'achever, pour le faire souffrir comme je souffre, pour le faire mourir de remords… Une seule phrase qui pourrait démolir n'importe qui.

Notre partie est à dix heures et nous avons la matinée pour nous entraîner. Moi, je ne m'entraîne pas, je mâche et remâche les mots de son beau-père, les mensonges de Christophe et je n'ai qu'une seule envie, celle d'effacer la sensation de ses caresses, toutes aussi fausses que ses paroles. Il est neuf heures quand Christophe se pointe le nez au terrain. Les filles, ignorant ce qui s'est passé hier, lui indiquent où me trouver. À ce moment-là, j'aurais aimé être n'importe où dans le monde sauf ici surtout seule avec lui et ses yeux qui m'hypnotisent.

– Salut ma puce…

– Comment peux-tu m'appeler comme ça après hier ? Mon nom, c'est Savannah.

– Je veux m'expliquer, je suis vraiment désolé…

– M'expliquer quoi ? Désolé de quoi ? Désolé de t'être fait prendre, que le jeu n'ai pas duré plus longtemps, désolé d'être aussi stupide…

– Arrête un peu. Tout le monde va nous entendre. Je suis désolé pour ce que tu as vu, Savannah, je ne savais pas que tu étais là. Écoute, donne-moi une chance…

– Te donner la chance de me mentir une fois de plus, de te moquer de moi une dernière fois ? Jamais ! Hier c'était la dernière fois Christophe…

– Ne dis pas ça sans avoir entendu mon explication, Savannah.

Il s'approche et je le repousse. Je ne veux pas qu'il me touche parce que j'ai peur d'oublier, de croire qu'il a vraiment une bonne explication. Son parfum m'enivre et mes sentiments se bousculent. Je regarde le sol et cache mes mains derrière mon dos. Je recule le plus loin possible et lui dis :

– Tu as cinq minutes, j'ai un match à jouer, moi.

– Alors, voilà. La fille que tu as vue hier, c'est Sandy, la fille avec qui je suis sorti pendant un an. Quand j'ai décidé de déménager c'est parce qu'elle avait rompu et sortait avec un de mes amis. J'étais en colère et j'ai suivi mon père. La première fois que je suis revenu chez ma mère, elle m'avait laissé une note disant qu'elle était désolée et m'aimait encore. Elle voulait qu'on reprenne. J'étais fou de joie jusqu'à ce que je pense à toi. Comme on ne sortait pas encore ensemble, je ne faisais rien de mal à revoir une ancienne copine. Elle a passé la soirée chez moi et nous avons réalisé que nous nous aimions encore. Nous avons pris une entente, nous avons décidé qu'on se fréquenterait quand je serais ici et qu'en d'autre temps, on faisait ce qu'on voulait...

– T'aurais pu me demander mon avis...

– Quand je suis revenu ce soir-là, j'avais l'intention de le faire, je me disais que tu devais savoir, que tu avais le droit de choisir... jusqu'à ce que je te vois avec ce gars, au party. J'ai cru que j'allais exploser de jalousie. J'ai réalisé que je t'aimais et que je ne pouvais pas te dire la vérité, j'allais te perdre...

– Tu ne m'aimais pas, tu me désirais. Parce que si cela avait vraiment été de l'amour, tu ne m'aurais jamais menti.

– Je t'ai aimée Savannah, je t'aime encore et hier j'ai rompu avec Sandy...

– Je ne te crois pas, Christophe, je ne te croirai plus jamais. Et même si c'était vrai, il est trop tard.

Voilà que je pleure. Je voulais me montrer froide et indifférente, mais devant ses yeux si beaux et sa voix qui m'ensorcelle, je m'effondre. Je voudrais tellement n'avoir rien vu, effacer cette image du couple près du taxi... mais je ne peux pas. Je lui en veux trop pour cette hypocrisie, ces mensonges... Je me ressaisis et sur un ton sec et cassant je lui demande :

– Comment as-tu pu me tromper si facilement ? Comment pouvais-tu m'embrasser quand tu arrivais de ses bras à elle ? Comment pouvais-tu me faire l'amour quand tu arrivais de son lit ?

Mes larmes se faufilent sur mes joues sans que mes paupières puissent les retenir.

– Toi aussi, tu m'aimes, ma puce. Tu m'aimes trop pour rompre. Regarde comme tu pleures, c'est parce que tu m'aimes encore. Pense à toutes ces fois où nous avons fait l'amour…

– Oui, je me rappelle quand « tu » as fait l'amour, parce que moi j'attends encore que tu me demandes de quoi j'ai envie. Peut-être d'être simplement caressée, embrassée, chatouillée sans automatiquement faire l'amour ? Mais chaque fois, tu t'es contenté de me dire que la prochaine serait mieux, dis-je pendant que le flot de larmes se transforme en vapeur d'exaspération.

– Ce n'est pas vrai, c'était si bon, si chaud, si excitant…

– Vois comme tu parles de l'amour, juste à ta façon de le décrire tu en fais un mot asséché. L'amour ce n'est pas juste le corps c'est aussi le cœur, pas juste le sexe mais aussi la passion, pas juste l'habitude mais aussi le désir. Je sais que je t'ai aimé mais je n'ai plus confiance en toi. Comprends-tu ce que ça veut dire ? Sans confiance, l'amour ce n'est rien… N'est-ce pas ce que tu m'as dit la première fois qu'on a fait l'amour « si tu m'aimes tu vas me faire confiance, plein de filles m'ont désiré mais j'ai refusé parce que je t'aime et j'ai confiance en notre amour ». Tu m'as dit de te faire confiance Christophe et tu m'as menti ; même pendant ma première fois. Dès le début tu m'as menti et plus jamais je ne pourrai te faire confiance...

– Mais... mais tu m'aimes...

– Je t'ai aimé, je t'aime peut-être encore mais l'amour n'efface pas tout et ne suffit pas toujours.

Mes larmes ont cessé de couler, taries d'amertume.

– Tu le sais qu'on est fait pour être ensemble, oublie tout et je te promets...

– QUOI ? Oublier, tu me demandes d'oublier la douleur qui me serre la poitrine, la sensation d'étouffement, l'angoisse qui m'ouvre le ventre chaque fois que je pense à toi... et en plus, tu oses me faire encore des promesses. Comme si tes promesses avaient un sens... Tout ce qui sort de ta bouche m'écœure, Christophe, toutes tes belles paroles ne valent plus rien parce que tu es un menteur et je te déteste.

Je rage de me sentir si vulnérable, de tressaillir à chacune de ses paroles, de souhaiter qu'il me convainque de tout oublier. Je lui en veux de rester là à me faire douter et je dois lutter contre moi-même pour ne pas chercher dans ses bras le réconfort dont j'aurais besoin. Mon âme oscille entre la colère et le pardon, la rancune et l'espoir, entre le passé et l'avenir. Je dois faire vite pour que cesse cette tourmente.

– Ça ne sert à rien de continuer cette conversation Christophe, conclus-je en me retournant. Tout est dit, tout est terminé. Notre histoire, tu l'as faussée quand tu as décidé de me mentir, quand tu as choisi d'être avec elle.

– Tout ce que je t'ai dit, ma puce, je l'ai pensé au moment où je l'ai dit, et je ne le regrette pas. Ce n'est pas ma faute si Sandy m'aimait autant. Quand je lui disais que je voulais rompre parce que je t'aimais, elle me répondait qu'elle était prête à me partager et disons, qu'elle savait me persuader…

– Parce qu'elle, elle était au courant ? Elle savait te convaincre, je me doute bien comment, lançai-je en tournant la tête pour le fixer de mes yeux ahuris. Je n'en reviens pas, nous sommes là à jouer notre relation et tu me parles de baise avec une autre fille. Merci, merci de me faciliter la tâche… Va-t'en, je ne veux plus jamais te voir…

Je monte le ton pour que les filles entendent et viennent à mon secours. Christophe ne bouge plus, il s'approche tranquillement en me disant :

– Tu ne peux pas penser tout ça, c'est la colère qui te fait parler. Prends quelques jours pour y penser, tu sais que tu m'aimes ma puce, et rappelle-moi...

Et, soudainement, ce sourire qui me faisait tout oublier, me lève le cœur. Si personne ne vient, je vais l'aplatir sur le sol jusqu'à ce qu'il efface ce sourire hypocrite de sa figure. Je marche tranquillement vers lui en lui lançant :

– Je ne changerai pas d'idée, espèce de fils à papa, et rassure-toi, si je t'appelle ce sera pour te dire des bêtises. Attendre mon pardon ne te donnera rien à moins que tu désires perdre ton temps...

Les filles sont là. Elles ont accouru quand elles m'ont entendue lever la voix. À me voir l'air, elles se doutent bien que ça ne va pas du tout. Elles regardent Christophe en disant que nous devons nous préparer pour la partie. Je les rejoins et en passant près de lui, je le regarde intensément pour la dernière fois et c'est là que je décide de mettre ma vengeance à exécution. La phrase que j'avais préparée resurgit dans ma tête, elle tourne et retourne en cognant mes parois frontales.

Je m'arrête, fixe Christophe et me penche vers lui. À l'oreille, je lui murmure ces mots qui tombent un à un, comme le supplice de la goutte utilisée en temps de guerre. Mon supplice à moi est tout aussi blessant parce que Christophe reste muet, ne bouge plus et je pense même qu'il ne respire plus. Je m'éloigne, satisfaite de lui avoir fait mal. En me dirigeant vers le terrain, je souris en revoyant son visage pourpre. Cependant, mon contentement ne dure pas longtemps, car c'est à regret que je réalise que, même si nous sommes maintenant deux à souffrir, je ne me sens pas mieux.

La partie commence et je demande à mon entraîneur de jouer tout de suite. Il m'envoie sur le terrain. Je suis tellement en colère contre ce menteur, cet hypocrite que j'ai aimé, contre moi-même, contre tous ceux qui s'aiment et contre la terre entière que je suis d'attaque pour gagner ce match. Toute cette haine me sert de propulseur et je botte le ballon comme jamais auparavant.

Chaque effort m'arrache un cri, chaque minute de tranquillité me brûle la gorge, je cherche le ballon partout, je le veux pour moi, pour lui asséner des coups ; je veux qu'il saute sur moi, qu'il me brise le cœur pour l'arrêter de battre, pour effacer ce chagrin, pour dessécher ces souvenirs d'amour si cruels, pour lapider mes espoirs ; je le veux pour qu'il rebondisse sur mon ventre et me purifie de cette haine repliée dans son creux, pour qu'il m'enlève cette angoisse qui croît, pour qu'il tue toutes les traces de Christophe... pour qu'il m'avorte de ce fœtus qui vit et grandit en moi.

Entre la tête et le cœur

Quelle nuit atroce, remplie de cauchemars et de sanglots. Même le vent, qui m'apaise habituellement, a l'air de se moquer de moi. Comment vais-je pouvoir vivre sans lui ? Comme j'ai mal, mal de son absence et de sa trahison. Pourrais-je, un jour, à nouveau respirer sans souffrir ?

Je manque de courage pour me lever ce matin, mes nausées me rappellent que je suis enceinte et mes jambes lourdes me rappellent que je n'ai pas bougé depuis au moins douze heures. Hier soir, à mon retour du tournoi, mes parents étaient absents et je me suis couchée pour éviter de les voir. Par contre, ce matin, ma mère en est à sa troisième tournée pour voir si je suis éveillée. Le téléphone a aussi sonné à plusieurs reprises, Julien monte et descend les escaliers sans arrêt. Tout bouge dans cette maison sauf moi qui voudrais rester allonger jusqu'à ce que tout rentre dans l'ordre.

– Savannah, c'est l'heure de se lever, me dit ma mère doucement.

– Je n'ai pas envie, je veux dormir encore.

– Je t'ai attendue pour déjeuner, j'ai hâte que tu me racontes ton tournoi.

– Je n'ai pas faim, maman, laisse-moi tranquille.

– Tu dois manger si tu veux grandir en santé, allez debout. En plus, tes amies ont appelé, elles t'attendent au terrain, à treize heures.

Je n'ai pas d'autre choix que de me lever, sinon ma mère va me harceler de questions et de commentaires, sans arrêt. Aussi bien faire ce qu'elle veut et avoir la paix, le plus tôt possible. Je me lève, m'habille et la retrouve en bas. Je lui dis que nous avons perdu car l'autre équipe était plus forte et je réussis à avaler quelques bouchées de rôties avant que mon estomac se retourne et, contre mon gré, renvoie tout ce que je lui ai glissé de force. Je dis à ma mère de ne pas s'inquiéter que là-bas, plusieurs filles ont été malades à la suite d'un virus. Elle me permet donc de retourner dans ma chambre. Mais, quand je lui demande de refuser tous les appels pour moi, surtout ceux de Christophe, elle me regarde avec des points d'interrogation dans les yeux. Je fais semblant d'être sur le point de vomir et me dirige vers les toilettes. Ouf ! Plus l'explication de la rupture est retardée, plus j'ai de temps pour être tranquille.

Je retrouve le confort de mon pyjama et me berce dans le coin de ma chambre et je pleure. Sans savoir si je pleure pour Christophe ou pour ma grossesse, je pleure jusqu'à ce que je m'endorme épuisée. Je n'entends pas ma mère qui vient me couvrir d'une petite couverture et m'embrasse le front.

Mes amies m'ont attendue tout l'après-midi mais je n'y suis pas allée. Je n'ai pas envie de les voir, je ne veux voir personne d'ailleurs. Elles savent pourquoi j'ai rompu mais elles ne savent pas que je suis enceinte. Elles ont bien essayé de me joindre mais ma mère leur répète que je refuse de voir tout le monde. Même Christophe s'est présenté et a été renvoyé chez lui. Il a d'ailleurs cessé d'appeler. Enfin, la paix !!

Je passe la semaine sans sortir de la maison, sans répondre au téléphone et sans prendre mes messages. Je ne fais que manger, dormir et me bercer. J'ai besoin d'être seule et de réfléchir. Je veux vivre cette peine qui m'afflige parce que peu importe ce qui arrivera, ma conscience survivra et pourra toujours me rappeler le verdict de vie ou de mort que je porterai sur l'enfant que je porte. Je pense à tout ce qu'implique de garder l'enfant, je le sens grandir dans mes entrailles et je ne peux me résoudre à l'avorter, il doit avoir six semaines à peu près. Je flatte mon ventre doucement et je m'en veux d'être dans cette situation. Est-ce possible d'avoir un enfant à mon âge ? Est-ce que je peux être une bonne mère ?

J'ai voulu grandir, faire mes choix et voilà où j'en suis. Comme je voudrais n'avoir jamais fait l'amour avec lui, n'avoir fait confiance qu'à mon intuition qui essayait de me prévenir ; mais non, je n'ai écouté que lui, le roi des enjôleurs. Je m'en veux et la plupart du temps ce qui me lève le cœur, c'est le dégoût de moi-même ; mais qu'est-ce que j'ai fait ?

Après une semaine de laisser-aller, ma mère sait bien que cet état latent n'est pas l'effet d'un virus et rattache toute cette apathie à ma peine d'amour. Elle vient me voir et m'explique qu'elle comprend ma douleur mais que je dois me ressaisir, qu'il y a plein d'autres gars intéressants et que je mérite mieux que lui. Elle me répète tous ces éternels clichés qui me font regretter de ne pas être sourde. Comment lui dire que malgré tout j'aime encore Christophe, que son souffle chaud me manque, que son rire enjoué me ferait le plus grand bien, que je voudrais courir le retrouver malgré tout. Je ne peux m'abandonner, je ne peux même pas vivre cette peine car j'ai quelqu'un d'autre à protéger, quelqu'un qui compte sur moi pour avoir une petite place dans la vie. Pour une fois, je comprends le senti-ment de responsabilité que peut avoir ma mère envers moi et c'est la raison pour laquelle j'apprécie à sa juste valeur tous les soins qu'elle me donne en ce moment où je voudrais plus que tout au monde avoir huit ans et n'avoir qu'à penser à moi.

Après plusieurs jours de réclusion volontaire, j'ai besoin de parler. C'est une Céleste surprise qui ouvre la porte : « Tiens donc, une revenante… » Je m'excuse de ma conduite en balbutiant quelques mots et je laisse enfin sortir le déluge que je retenais depuis une semaine. Elle n'en dit pas plus et m'ouvre les bras. Je m'y réfugie et trouve un réconfort que seule une vraie amie pouvait m'offrir.

Après avoir pleuré pendant presque une demi-heure, je réussis à prononcer mes premiers mots. Je lui avoue que Christophe et moi n'avons pas toujours mis de condom et que je suis enceinte. J'ai passé plusieurs tests de grossesse avec la pharmacienne, car je refusais d'y croire. Je lui demandais sans cesse : « Comment cela a-t-il pu m'arriver ? Ça ne se peut pas, je n'ai que quinze ans et je n'ai couché qu'avec mon copain ? » Mais les résultats étaient concluants et positifs. Je lui explique que je l'ai dit à Christophe au tournoi, que j'ai décidé de garder l'enfant, que mes parents ne sont pas au courant et que moi je me déteste de faire du mal à tout le monde.

Elle reste calme et je parle sans arrêt. Quand enfin je reprends mon souffle, elle me dit qu'elle ne doute pas de mes capacités en tant que mère, mais elle se demande si le moment est bien choisi. Qu'est-ce que je vais faire d'un bébé quand on voudra sortir et s'amuser ? Qu'est-ce que je vais faire pour le soccer ? Et si mon corps change, est-ce que je vais l'accepter ? Et mon prochain copain, voudra-t-il d'une adolescente mère ? Malgré tout, je demeure incapable de penser à l'avortement. Je sais qu'elle me trouve trop jeune pour avoir un enfant, cependant elle ajoute que la décision me revient, que je dois la prendre pour moi et que, peu importe mon choix, elle sera toujours mon amie. Elle me suggère d'en parler à un adulte en qui j'ai confiance pour m'aider à prendre une décision plus éclairée. Elle a raison. Je fais le tour de toute ma famille en omettant volontairement mes parents et j'arrête mon choix sur tante Pauline. Elle saura m'aider. Je promets à Céleste de ne pas prendre de décision précipitée et en la quittant, je décide de dormir là-dessus ; la nuit porte conseil à ce qu'il paraît.

Le surlendemain, j'appelle tante Pauline avec qui je planifie une soirée cinéma. On fait ça des fois quand j'ai envie de prendre des vacances de ma famille. Ce sera ce soir, vendredi, et elle s'occupe des films.

Avant de commencer le premier film, on s'installe au salon où, accidentellement, je fais tomber mon verre qui se casse sur le sol. Le bruit me semble assourdissant, comme le tonnerre quand il me réveille la nuit. Cependant ce qu'il ranime, c'est ma peine enfouie au fond de ma crainte. Je ramasse les bouts de verre et je pleure.

– Je m'excuse, ma tante, je suis maladroite…

– Ce n'est pas grave, ma grande, on va ramasser. C'était un vieux verre et…

– Je m'excuse, je n'ai pas fait exprès, c'était un accident, je le jure, ma tante, je n'ai pas voulu ce qui est arrivé. Qu'est-ce que ma mère va dire ? C'était un accident...

– De quoi parles-tu, Savannah ?

Tout se mêle et s'embrouille dans ma tête. Comme je pleure de plus en plus et que je répète inlassablement le même discours de culpabilité, elle me prend dans ses bras et caresse mon visage.

– Je ne sais pas de quoi tu parles mais je suis là, Savannah. Je suis là maintenant et je vais m'occuper de toi.

Sa voix, sa chaleur et son calme me rassurent suffisamment pour que mes larmes cessent.

Pendant qu'elle me prépare un bon chocolat chaud, je lui fais promettre de garder le silence. Dès qu'elle a signé sur son cœur de se taire à jamais, je lui raconte tout. Sans me juger, elle me parle des possibilités : garder l'enfant, le confier en adoption ou aller vers l'avortement. Je m'oppose à l'adoption et refuse l'avortement ; il ne reste plus qu'à le garder. Elle me questionne sur mon refus de l'avortement.

– J'aurais l'impression de faire mourir quelqu'un sans lui donner la chance d'exister.

– Tu sais, Savannah, les corps meurent, pas les âmes. Un bébé, ce n'est pas qu'un corps, c'est aussi une âme. On ne peut pas tuer les âmes, quand un bébé meurt, son âme retourne d'où elle vient et part à la recherche d'un autre corps. Enfin, c'est ce que l'on m'a raconté et j'aime bien y croire.

– Mais, je le veux ce bébé moi… Je suis capable de m'en occuper… d'assumer les conséquences de mes actes…

– Savannah, il y a une différence entre « désirer » et « assumer » un enfant. Que lui diras-tu à ton enfant quand il te demandera pourquoi tu l'as eu si jeune ? Que tu voulais l'assumer ? Et, comment pourras-tu le faire vivre si tu ne finis pas tes études ? Qu'est-ce que tu feras quand il sera malade et que tu devras payer ses médicaments ? Et le plus important, est-ce que tu as pensé à l'existence que cet enfant aura ? Est-ce vraiment cela que tu as envie de lui offrir ? Et le père là-dedans, quelle sera sa place ? Tu vois ma grande, cette décision te revient mais elle concerne aussi l'enfant.

– Je n'avais pas pensé à lui de cette façon…

– Savannah, il est difficile de prendre une décision aussi importante, alors prends ton temps et surtout prends-la pour toi et pour les bonnes raisons. C'est ton corps et c'est à toi de décider en tenant compte de tous les aspects pour être bien dans cette décision. Et, peu importe ton choix, je serai là pour t'aider…

Je sais qu'elle aussi me trouve trop jeune pour avoir un enfant, mais elle me respecte et me traite comme une grande personne. Nous convenons que je le dirai à mes parents cette fin de semaine, dimanche soir, car elle vient souper à la maison. En partant, je lui promets de réfléchir et de l'appeler au besoin. Sur le pas de la porte, elle me prend dans ses bras et me murmure à l'oreille :

– Tu sais Savannah, tu n'as pas besoin de garder l'enfant pour prouver à tout le monde que tu es une grande fille responsable.

Elle n'a pas à en dire plus. Cette phrase s'ancre dans ma tête et cogite tout le long du trajet qui me mène à la maison. Et si elle avait raison ? Si cette décision était purement égoïste, que j'étais prête à me faire valoir au détriment de la qualité de vie de cet enfant ? Réfléchir, encore réfléchir, mais qu'est-ce que ça donne ? Plus je pense, plus je doute. Comment vais-je pouvoir me décider ?

Le dimanche arrive rapidement. Déjà plus d'une semaine que le tournoi est passé, que j'ai rompu avec Christophe et surtout, déjà la soirée où je dois parler à mes parents. Cependant, rien n'arrive comme prévu puisqu'il est seulement neuf heures du matin quand la mère de Christophe appelle ma mère. Assise dans le salon, j'entends la conversation :

« Oui, c'est moi la mère de Savannah... vous êtes la mère de Christophe... elle refuse de lui parler... oui je sais qu'ils ne se voient plus depuis une semaine... il n'est pas le seul à avoir de la peine, ma fille aussi... Comment ça c'est sa faute à elle ???... Mais on oblige Christophe à rien, nous ?... Qu'est-ce que nous avons l'intention de faire ? Mais de quoi parlez-vous ?... Mais... mais... êtes-vous certaine ?... C'est catastrophique, je n'étais pas au courant... »

Je ne veux pas rester plus longtemps car je devine la fin de la conversation. Je prends ma veste et comme je m'apprête à sortir, j'entends ma mère crier à mon père et je la vois courir dans tous les sens en me cherchant. J'ai envie de disparaître, de fondre au soleil, je suis prête à tout pour éviter ce qui s'en vient. Hélas, les crampes dans mon ventre m'obligent à fermer la porte et à prendre ma vie en main, car il faudra bien un jour que j'arrête de fuir et que j'assume ma décision ; il faudra bien que je leur dise qu'ils seront grands-parents. Je retourne donc au salon où ma mère passe du blanc effroi au rouge colère.

Alerté par les cris de ma mère, mon père arrive en quelques secondes. Ma mère marche de long en large dans le salon. Une fois que je suis assise, elle me demande :

– Est-ce vrai, Savannah ? Est-ce que la mère de Christophe a raison ? Dis-moi qu'elle se trompe, je t'en prie, dis-moi que ça ne se peut pas...

Je garde le silence, je suis muette, tous mes espoirs d'un arrangement possible s'envolent. Mon père demande ce qui se passe et, comme je ne dis mot, ma mère prend la parole. Je décide de me taire jusqu'à ce qu'elle ait fini son plaidoyer car, dans l'état où elle est, elle n'entend rien de toute façon.

– Il se passe, Claude, que notre chère grande fille est enceinte… oui, enceinte de ce gars qu'elle voyait. C'était donc ça tes malaises de cette semaine et moi qui étais là à s'occuper de ta peine d'amour… Pourquoi tu ne m'as rien dit, Savannah ? Comment as-tu pu garder le silence et ne rien dire à moi, ta propre mère ?

– Je devais vous en parler ce soir, avec tante Pauline…

– Tu en parles aux autres et pas à moi ! Et dire que je te faisais confiance, je savais bien que tu étais trop jeune pour sortir avec un gars. Mon Dieu, ma fille enceinte, comment as-tu pu nous faire ça ? Est-ce qu'il est trop tard pour l'avortement…

– Je veux le garder, dis-je calmement.

– QUOI ? En plus d'être irresponsable, tu es irré-fléchie, ma fille. Tu veux le garder, mais penses-y un peu, qui va s'en occuper de cet enfant-là ? Pas moi parce que moi j'en ai élevé deux. Si tu penses que je vais en élever un autre…

– J'y pense depuis une semaine et j'aime les enfants. Je m'occupe bien des bébés quand je garde et… j'ai pensé que tante Pauline ou Réjane pourraient m'aider et…

– Et quoi encore ? C'est plus qu'une histoire de gardienne, ça ma fille. C'est ta responsabilité cet enfant-là, tu ne commenceras pas à impliquer toute la famille là-dedans. Non, non, non, tu ne garderas pas cet enfant, non, non, non…

Ces derniers mots deviennent comme une supplication de ma mère, comme si je lui en avais fait assez et que je devais au moins lui accorder cette faveur pour tout effacer. Elle est si abattue par cette nouvelle qu'elle ne tient plus debout, elle va à sa chambre où je l'entends se laisser tomber sur son lit. Mon père reste là, impassible et, pour la première fois de ma vie, je ne sens pas le courant passer entre nous ; il ferme ses yeux embrouillés et dit tout simplement : « Comment ça en est arrivé là Savannah ? Tu avais toute ma confiance… » Il quitte la pièce pour rejoindre ma mère.

Ses paroles me transpercent le cœur ; mon père a toujours été là pour m'approuver et je n'avais jamais imaginé qu'il puisse m'abandonner ainsi. Pour la première fois de ma vie, je me sens seule au monde et je ne peux même pas en vouloir à qui que ce soit d'autre qu'à moi-même. L'air devient irrespirable et m'empoisonne, mes yeux piquent et ma gorge enfle à retenir mon cri de désespoir. Je dois partir… plus loin que toute cette tornade qui vient d'anéantir ma famille.

La décision

Après cette dispute avec mes parents, je me rends au parc. J'ai besoin de respirer calmement. Je m'assoie sur une balançoire et tranquillement le mouvement rythmique m'apaise. Pendant quelques secondes, je me sens légère et n'espère plus rien que de me vider la tête de toutes ces craintes. Je ne sais pas si je veux garder cet enfant pour prouver aux autres que je suis capable ou si je le désire vraiment... Alors que mes yeux fixent le ciel, une voix m'interpelle et ce n'est pas celle d'un ange.

– Salut, dit Christophe, je savais que tu finirais par venir ici. Je suis venu tous les jours pour te voir.

– Salut et au revoir, je partais justement.

– Non, Savannah, reste un peu. On doit parler tous les deux.

– De quoi tu veux qu'on parle ?

– Du bébé. Est-ce que tu es réellement enceinte ?
Qu'est-ce que tu vas faire ?

– Je te l'ai dit au tournoi : je suis enceinte et je vais
le garder. As-tu d'autres questions ?

– Tu n'y penses pas sérieusement Savannah, tu
es… nous sommes trop jeunes pour avoir un enfant.
Ma mère m'a dit que si mon nom se retrouve sur les
papiers de naissance, je serai responsable de lui. Je
devrai travailler et payer pour lui, m'impliquer dans
les décisions avec toi et m'en occuper toutes les fins
de semaine.

– Je ne veux pas que tu t'impliques, je ne veux rien
savoir de toi…

– Et si moi je veux m'impliquer, tu n'auras pas le
choix, ce bébé est à nous deux… À moins que…

– À moins que quoi ?

– Je vais être franc avec toi, Savannah. Ma mère
m'a déconseillé de m'impliquer, car ça met mon avenir
en péril. Mais pour une fois dans ma vie, je peux bien
essayer d'être responsable. Par contre, comme je désire
m'engager, je veux être certain de toi…

– Certain de moi ? Ça veut dire quoi ça ?

– ... Je veux savoir si je suis vraiment le père de cet enfant ?

– QUOI ? Ai-je bien entendu ? Mais, comment peux-tu douter de moi, Christophe ? Tu sais que je n'ai fait l'amour qu'avec toi...

– Je sais que j'ai été le premier mais rien ne me garantit que j'aie été le seul. Nous avons utilisé le condom sauf peut-être deux fois, alors les risques pour moi sont minimes...

– Alors c'est ça hein. Toi, tu couches avec deux filles en même temps et tu es blanc comme neige. Mais, moi je peux être enceinte de n'importe qui parce que j'ai accepté de faire l'amour avec toi. Si j'ai couché avec toi, j'ai sûrement couché avec tous les gars de l'équipe n'est-ce pas ? Sûrement, parce qu'une fille qui couche avec son copain, c'est une fille facile, hein !

Je reprends mon souffle et bascule ma tête de gauche à droite en n'osant ni ouvrir ni fermer les yeux ; les deux options étant aussi douloureuses l'une que l'autre. Finalement, fébrilement et d'un seul souffle, je lui dis :

– C'était toi que j'aimais Christophe, c'était seulement toi... Comment aurais-je pu faire l'amour avec quelqu'un d'autre ? Je ne réponds même pas à ta question parce que le simple fait de me la poser me confirme que tu es encore plus idiot que je le pensais et que tu ne m'as pas aimée aussi sincèrement que tu le disais...

– Ma mère m'a dit de vérifier, pour être certain, tu sais, je n'ai que seize ans et cette situation est difficile pour moi...

– Et moi, j'en ai juste quinze et je dois décider si je brise ma famille, si je veux de toi avec cet enfant, si cet enfant a le droit de naître, quel sera mon avenir ? Toi, tu n'as qu'à te demander : suis-je vraiment le père ? Pauvre toi, comme la vie est injuste, n'est-ce pas !

Et là, tout m'apparaît très clair, comme si cette discussion était le dernier morceau d'un casse-tête et qu'en trouvant sa place, l'image cachée se révélait. J'ai tendu l'oreille et écouté la petite voix qui depuis le début me demandait d'être prudente. Je fais le vide et tous les discours tournoyant entre ma tête et mon cœur trouvent leur sens. Je n'entends plus que la voix de ma conscience. Je la laisse vibrer en moi et soudainement je me sens envahie de quiétude. Ma décision est enfin prise. Je remercie presque Christophe de toute sa stupidité qui m'a fait voir clair et quitte le parc en le laissant seul à seul avec sa bévue.

J'appelle mes parents de chez Céleste. Je leur demande de me rejoindre au restaurant vers dix-sept heures pour que nous puissions régler cette situation. Dans un endroit neutre tout le monde restera plus calme ; ils sont d'accord.

Une fois assis à la table, mes parents commandent un apéritif et mon père prend la parole.

– Savannah, nous voulons que tu saches que si nous réagissons autant, c'est que nous sommes inquiets pour toi, pour ton avenir. Avoir des enfants, ça demande beaucoup et parfois nous doutons de pouvoir y arriver, même si on est des adultes, alors imagine à ton âge, est-ce vraiment possible ? Nous avons fait le tour de la question et nous croyons que tu as pris ta décision trop rapidement et nous te demandons d'y penser encore...

– Même si nous ne comprenons pas ta décision, Savannah, poursuit ma mère, nous voulons que tu saches que nous pourrions t'aider. Nous ne savons pas encore comment, mais malgré tout, nous ne voulons pas que tu vives cette épreuve toute seule. Nous ne voulons pas non plus te forcer à faire quelque chose dont tu n'as pas envie, nous voulons que tu fasses tes choix mais il te faudra les assumer... Nous serons là pour toi...

Ma mère essuie quelques larmes et je comprends qu'il est difficile pour elle de prononcer ces paroles, elles impliquent tant de choses. Je suis très émue par leur geste et les arrête avant qu'ils continuent.

– Papa et maman, je ne peux vous dire combien j'apprécie ce que vous venez de me dire mais… mais vous n'aurez pas à faire cela. J'ai bien réfléchi et j'ai changé d'idée. Je ne désire plus avoir cet enfant…

– Pourquoi ? demande mon père.

– Parce que je suis trop jeune pour lui offrir tout ce dont il aura besoin. Je ne veux pas qu'il vive entre ses deux parents qui vont tout le temps se chicaner, je ne veux pas dire un jour à mon enfant que je l'ai « assumé » mais « désiré » et aussi parce que de ne pas avoir un enfant est un geste aussi responsable que de l'avoir. En plus, j'ai vu Christophe cet après-midi et il est tellement idiot que je ne veux plus jamais avoir de contacts avec lui. Imaginez si j'ai l'enfant, je vais devoir l'impliquer. Bref, j'ai décidé d'aller vers l'avortement même si je trouve cela angoissant.

Voilà que, maintenant, c'est moi qui pleure. Je me sens soulagée et fière d'avoir parlé à mes parents. Je crois que c'est à partir de ce moment que j'ai commencé à me sentir plus vieille que mes quinze ans.

– Je suis fière de toi, ma fille, dit mon père. Non pas parce que tu n'auras pas cet enfant mais parce que tu as pris le temps de réfléchir et que tu as pris la décision, non pas la plus facile, mais la meilleure pour toi. Si tu avais décidé de garder l'enfant et que ta décision avait été aussi réfléchie, nous aurions été tout aussi fiers malgré notre désaccord. Tu vois, Savannah, nous savons désormais que, s'il t'arrive un événement difficile, tu sauras prendre le temps de bien voir ce qui se passe et d'y faire face, en respectant ce que tu es. Tout cela est un moment pénible, mais il t'aura appris à te faire confiance et nous aussi…

Je suis très émue par le discours de mon père et un sentiment immense de respect et d'amour envers eux m'envahit. Enceinte, c'est fou comme je suis sensible… comprendre mes parents, je n'aurais jamais cru cela possible. C'est peut-être ça grandir, comprendre un peu plus les adultes…

Nous passons un beau souper malgré toute l'émotivité qui plane au-dessus de nous. C'est un nouveau départ pour nous, mais aussi pour moi. Ma mère et moi sortons dehors en attendant mon père qui s'acquitte de la facture. Comme nous sommes seules toutes les deux, j'en profite pour lui faire la grande demande. Je prends mon courage à deux mains…

– Maman, je refuse que Christophe assiste à l'intervention et je ne veux pas y aller seule. Penses-tu que tu pourrais te libérer pour venir avec moi, c'est que…

Ma mère fait signe que oui en me serrant dans ses bras. Je suis tellement contente… D'avoir à vivre cela toute seule m'effrayait un peu. Quand mon père sort et nous voit dans les bras l'une de l'autre, il sourit et vient nous rejoindre. Je suis habituée de voir ma mère pleurer, mais pour mon père, c'est une autre histoire. Dès que je sens ses larmes s'étendre jusqu'à mes joues, je me dis que ma décision est la meilleure, car je veux que le père de mes enfants puisse me demander « que pouvons-nous faire de mieux pour nos enfants ? » au lieu de « suis-je vraiment le père de ces enfants ? » et qu'il soit un vrai gars, capable de montrer sa peine ou son bonheur ailleurs que dans la chambre des joueurs de football.

L'intervention

Avant l'intervention, il y a plusieurs démarches à entreprendre : je dois rencontrer l'infirmière, la travailleuse sociale et le médecin. Chacun joue un rôle bien défini afin que ma décision soit des plus réfléchies et que l'intervention se déroule bien. J'ai commencé par rencontrer la travailleuse sociale qui s'assure que, malgré l'inconfort de la situation, je sois bien dans ma décision et que je l'ai prise de façon libre ; je lui raconte tout le cheminement de ma réflexion et quand elle me dit qu'il est normal que je trouve cela difficile, elle me rassure suffisamment pour continuer ma démarche.

Ensuite, je vois l'infirmière qui calcule, avec ma date de dernière menstruation, mon nombre de semaine de grossesse ; nous sommes le 16 août et je suis enceinte de 6,2 semaines. Nous devrons attendre au moins sept semaines, nombre minimal de semaines pour un avortement ici. Elle m'explique le déroulement de l'intervention et nous en planifions la journée.

Je termine ma tournée de visite par le médecin qui m'examine et confirme le nombre de semaines de grossesse et vérifie mon état de santé. Mon dossier est parfait et l'intervention est prévue le 23 août à huit heures du matin, j'aurai 7,2 semaines et le cœur rempli de peine.

La journée de l'intervention est enfin arrivée. Je suis nerveuse un peu, beaucoup, énormément. J'ai eu mal au ventre toute la nuit, comme si la vie m'envoyait un appel. Ce matin les maux de ventre ont cessé, la vie a enfin compris que je ne pouvais pas changer d'idée.

— Savannah, ma chérie, es-tu réveillée ? demande ma mère.

— Tu peux entrer, maman. Je n'ai pas besoin de me réveiller, je n'ai pas dormi de la nuit.

Ma mère s'approche tout doucement.

— Moi non plus je n'ai pu dormir, qu'elle me répond les larmes aux yeux. Tu sais, Savannah, je veux être forte pour te laisser vivre cette épreuve et que tu puisses grandir mais, en même temps, je voudrais souffrir à ta place, te protéger de cette peine. Le cœur d'une mère peut supporter beaucoup de choses mais pas de voir un de ses enfants souffrir.

Je sais de quoi elle parle, c'est justement pour cela que je ne peux avoir cet enfant. Je ne veux pas être une mère, je ne veux pas m'occuper d'un enfant… Je n'ai pas envie de repenser à toutes les bonnes raisons qui me poussent vers ce choix, mais ça me fait du bien de penser que cette décision est réfléchie. On ne peut pas être condamnée quand on prend le temps de bien réfléchir et d'assumer cette décision, n'est-ce pas ?

Voilà que l'on pleure toutes les deux en se serrant l'une l'autre, et même le réveil semble partager notre peine en ralentissant le rythme : les minutes volées dans les bras de ma mère me paraissent une éternité. Ça fait tellement longtemps que ça ne m'était pas arrivé, j'avais oublié comme on est bien dans les bras de sa mère. Le réveil se ressaisit et sonne l'alarme.

– Bon, c'est le temps de se lever si on veut arriver à l'heure, dit maman en séchant ses yeux.

– Ouais et je meurs de faim, j'ai hâte de manger mais je dois rester à jeun pour l'intervention.

– On n'a qu'à aller déjeuner ensemble après ! On s'habille maintenant on doit être en bas dans quinze minutes.

– D'accord ! Maman… que je murmure. Non laisse faire.

– Je t'aime, Savannah et tout ira bien.

Elle m'embrasse le front et s'en retourne. Et si c'était réellement un ange, pas toujours facile à vivre mais un vrai ange du ciel envoyé pour moi ?

J'enfile mon jeans et un t-shirt, je fais ma toilette du matin et je descends lentement chaque marche qui me rapproche du départ. Je retrouve ma mère au bas de l'escalier et, sans parler, nous sortons.

La voiture démarre. Maman ne parle pas mais je sais à sa respiration qu'elle est nerveuse. Oups ! Une image de bébé apparaît dans ma tête. Je la repousse immédiatement dans un coin et me concentre sur le paysage.

À ce moment-là je réalise que tout semble différent. Madame Durand qui marche en boitant, le chien de monsieur Alfred qui jappe, attaché dans sa cour, les petits enfants qui attendent l'autobus en pleurant. Il me semble les voir pour la première fois de ma vie, ressentir leur tristesse, leur solitude dans un monde sourd à leur peine.

La voiture s'arrête… mon cœur aussi. La porte s'ouvre et se referme dans un bruit lourd… Mon ventre me crie sa douleur et me supplie de retourner dans le passé pour qu'il n'ait pas à vivre cette souffrance… mon cœur aussi.

À l'instant où l'on entre dans l'hôpital, ma vue se réajuste et le rythme accéléré du personnel me rassure.

Le choix de *Savannah*

Pour eux, c'est une journée comme les autres, une fille comme les autres, tout est normal et routinier.

– Bonjour Savannah, me dit Pierrette, l'infirmière. Comment vas-tu ce matin ?

– Pas vraiment bien. J'ai eu mal au ventre toute la nuit et cela m'a empêchée de dormir.

– C'est normal. Suis-moi on va aller te préparer pour l'intervention, répond-elle.

Voilà ce que je disais, pour eux, c'est normal. J'ai envie de me vomir le cœur, de me séparer de la moitié de mon corps, mais c'est normal. Tout est beau en autant que je reste normale. Je suis la fille numéro « 1 » aujourd'hui, une numéro « 1 » parmi tant d'autres, « la # 1 est prête docteur ». Être prête ? Ça fait deux semaines que j'y pense et on dirait que je ne me sens pas encore prête. Peut-on vraiment se sentir prête pour un jour comme ça ? Une image de bébé surgit dans ma tête sans ma permission : une fille ? Un garçon ? Je la chasse de mon esprit et commence ma préparation.

J'ai maintenant une jaquette sur le dos ; pas une jaquette d'hôpital qui laisse voir nos fesses, mais une vraie jaquette décorée de petits lapins. Il y a aussi de petits muffins pour après l'intervention et du bon café. Peut-être que, pour eux, nous ne sommes pas juste des numéros finalement !

– Savannah. Savannah !

C'est ma mère, elle me fait signe. Je pense que j'étais perdue dans mes pensées.

– Oui maman.

– Est-ce que tu vas bien ?

– Je ne sais pas. Est-ce que ça se peut aller bien dans cette situation ?

Sans répondre, ma mère me serre dans ses bras, hummmmm ! Faudrait pas que j'y prenne goût, à quinze ans, les bras de sa mère c'est du passé sinon tu n'as pas rapport. Je pense que, pour aujourd'hui, je vais faire une exception et en profiter, juste un peu, un tout petit peu… et pourquoi pas beaucoup ?

La porte s'ouvre. Il fait froid dans la salle et dans mon dos. Il y a juste dans mon ventre que ça brûle et dans ma gorge qui retient mon envie de hurler.

– Bonjour Savannah, je suis le docteur James-Dylan Bradford et c'est moi qui vais faire l'avortement. Tu connais déjà Pierrette, c'est l'infirmière qui va m'assister. Si tu as des questions ou quoi que ce soit, n'hésite pas.

L'infirmière prend ma pression et mon pouls. Les chiffres leur indiquent que je suis nerveuse. Ils n'avaient qu'à me le demander et je leur aurais dit. On me couche sur la table et fait mettre mes pieds dans les étriers. Les fesses dans le vide on me dit que tout est prêt.

Ma mère s'assoit à côté de moi et prend ma main. Je regarde le plafond et le trouve affreux. Il y a une image collée qui représente la mer. Il semble que le vent y soit fort car les vagues s'étirent d'un bout à l'autre du plafond. L'image n'est pas vraiment rassurante. De toute manière, y a-t-il une image qui soit rassurante, en ce moment ? L'intervention commence, on insère le spéculum, qui est encore plus froid que l'image. Je gèle en dedans maintenant.

– Maman, j'ai froid.

– Oui, ma grande, c'est vrai qu'il fait froid.

– Maman, j'ai peur.

– Je sais, ma fille, je sais mais tout ira bien.

Elle prend ma main et la frotte lentement. De sa main libre, elle caresse mes cheveux doucement et me regarde avec ses yeux aimants qui prennent la voix d'un sourd. Je comprends sans que rien ne soit prononcé. Je sais qu'elle est là et qu'elle m'aime malgré tout. Elle s'attarde sur mon front et y dépose un baiser. Si tout pouvait s'arrêter là.

– Maintenant que le col est désinfecté, nous allons le geler avec des injections. Cela va piquer un peu mais pas trop. Respire calmement Savannah, me dit le médecin.

La lumière reste la même mais ma vue baisse, je tremble de froid ou de peur, mais je tremble de tout ce qui peut trembler dans mon corps. Je tourne la tête, regarde ma mère, porte sa main sur ma joue et bouge mon visage de façon à ce que ma joue caresse le revers de sa main et je pleure.

– Maman, ils vont me piquer. Ils vont me faire mal, pourquoi il faut que ça fasse mal.

– Tout ira bien, qu'elle me répond en séchant ses larmes.

De sa main gauche, elle caresse ma joue et de l'autre, me serre la main droite. Son parfum est tendre et fruité comme l'été quand les fleurs s'ouvrent et cette odeur me fait du bien.

– On va maintenant procéder à la première aspiration Savannah, me dit Pierrette. Si tu te sens mal tu me le dis, d'accord.

Je lui fais signe que oui en fermant les yeux. La machine démarre et l'aspiration commence. Je ne sais pas si c'est l'aspiration du fœtus ou de mes tripes mais ça tire à l'intérieur. Les images de bébés confinées à l'oubli ressurgissent et je vois tout plein de bébés. Des garçons, des filles qui me tendent les bras, qui font coucou, qui pleurent. Je vois des bras, des jambes, des pieds minuscules qui forment un ouragan et dévastent tout dans ma tête. La culpabilité m'apparaît sous forme de questions du genre : qu'est-ce que je suis en train de faire ? Quelle sorte de monstre je suis ? Quelle irresponsable ? Loin de me réconforter, ces questions me coupent la respiration et je me mets à crier :

– Ça tire dans mon ventre. C'est pour me punir. Maman ils me font mal, arrête-les je t'en supplie, arrête-les je n'en peux plus.

Mes cris s'étouffent et s'ajoutent à la mer figée du plafond. Soudain la mer s'agite et prend vie pour aspirer toute ma peine et mes larmes. Peut-être qu'elle a été créée de tous les cris, les remords et les larmes versées dans cette pièce ?

L'infirmière s'approche et me prend la main. Elle éponge mon front avec une serviette froide ; ça fait du bien. Elle masse mon ventre, ou plutôt, elle le berce. Cela diffuse la douleur et, à part les images dans ma tête, tout se stabilise. Je ne savais pas que les douleurs pouvaient venir d'aussi loin ; je sens un creux immense dans mon nombril.

– Tu fais bien ça, Savannah. La première aspiration achève. Tout va très bien, ma grande, me rassure Pierrette.

On est en train de m'aspirer les entrailles et je les laisse faire. On vole un être à la vie et je suis complice. La peine est-elle plus grande pour le coupable ou le complice ? Quand cessera donc ce bruit, ce bourdonnement qui m'engourdit les oreilles ?

– On a terminé la première aspiration et tout se déroule bien. Nous allons faire un petit curetage maintenant, m'explique le médecin.

Je commence à réaliser que tout cela n'est pas aussi banal pour le médecin qui est concentré sur l'intervention et attentif à mes réactions.

- J'ai terminé le curetage. On va faire la deuxième aspiration qui sera moins longue et moins douloureuse. Elle ne dure que quelques secondes. Ensuite, je vais enlever le spéculum et te faire un petit massage pour m'assurer que tout est bien. Je sais que c'est difficile, mais il ne te reste que quelques minutes et tout est terminé, me dit le docteur.

J'ai envie de me boucher les oreilles quand la machine démarre à nouveau. Ce bruit-là me soulève le cœur, on dirait même qu'il sent mauvais comme des vieilles moisissures.

– J'ai envie de vomir, que je dis en soulevant ma tête.

– Respire tranquillement, Savannah, sinon tu vas être étourdie. C'est ça, respire, tranquillement, continue, m'encourage Pierrette.

– Maman, arrête-les je n'en peux plus.

La main de ma mère se raidit. Je crois qu'elle trouve ça dur parce que jamais je n'ai senti sa main aussi raide. Elle pleure et, dans ses yeux, je vois ce même regard qui me berçait quand, enfant, j'étais triste ou malade. Je la sens si près de moi, je sais qu'elle souffre avec moi. Un ange, un vrai, descendu du ciel pour s'occuper de moi, m'aimer et m'aider à supporter les difficultés de la vie. Je n'aurais jamais été une bonne mère à quinze ans. Il y en a qui y arrivent mais, moi, vraiment, c'est pas mon genre. J'arrive à peine à m'occuper de moi, imagine m'occuper d'un enfant en plus. Pauvre enfant ! Il n'aurait jamais pu compter sur moi pour l'aider, pour grandir en sécurité, pour être aimé malgré tout, il aurait été bien déçu d'avoir à grandir avec une mère fantôme.

Je comprends maintenant quand maman m'a dit qu'une mère préfère souffrir à la place de son enfant. Aujourd'hui, jour de l'avortement, c'est là que je me sens vraiment une mère pour la première fois. J'aimais cet enfant que je portais depuis sept semaines, j'aimais cet enfant suffisamment pour ne pas l'avoir et lui faire vivre une existence dont moi-même je n'aurais pas voulu. J'ai été une mère pendant quelques semaines et j'ai préféré souffrir aujourd'hui et porter cette complainte aux quatre coins de mon cœur plutôt que de mettre cet enfant au monde et de le rendre malheureux.

C'est alors que quelque chose de drôle se passe en moi. La douleur cesse, mon cœur se remplit d'amour et laisse partir cet être vers les cieux qui l'ont porté bien avant moi. Et, malgré mon scepticisme envers Dieu, je lui adresse une prière :

« Voici, Dieu, que je Vous remets l'enfant que Vous m'avez offert sans me demander si j'en voulais. Je Vous remercie de le reprendre et Vous demande de bien Vous en occuper. Trouvez-lui des parents qui le désirent ardemment et dites-lui que je l'ai aimé comme une grande sœur, comme une bonne cousine, comme une tante préférée. »

Le bruit s'arrête. Dernières retouches et le médecin enlève tous ses instruments. Ma mère m'embrasse et me dit que tout est fini. L'odeur âcre du sang demeure dans la pièce que je quitte en marchant péniblement. Je n'entends pas les recommandations de l'infirmière, je suis trop occupée à écouter le silence et les battements de mon cœur qui reprennent leur roulement habituel.

Je n'ai plus rien en moi. Quel soulagement. Je me sens vide, seule avec moi-même et contente de me retrouver. Je peux penser tout ce que je veux et mon ventre ne sera pas à l'écoute. L'avenir brille à nouveau, tout est possible, la vie est belle. Liberté, si chèrement payée, ne me quitte plus sans ma permission.

– Tu peux te reposer, ma chérie. Tout est terminé, vraiment terminé. Tu as bien fait ça.

– Maman, j'ai… je… maman…, et, sans terminer, je pleure ce qu'il me reste de larmes.

Comment lui dire que ces larmes sont les mêmes que les siennes ce matin, celles d'une mère qui souffre pour son enfant…

– Je sais, je sais. Chut, ma fille. Ferme les yeux et repose-toi. Je suis là et je t'aime, me murmure maman.

Je vais commencer à croire que c'est vrai qu'elle sait tout parce qu'elle arrive à me dire ce qui me fait du bien sans que je le lui demande. Mon enfant confié à Dieu, blottie dans les bras de ma mère, je peux enfin goûter la paix et, aussi, pleurer mes peines d'amour : celle d'un amour trahi et celle d'un amour fantôme qui, chaque année, vieillira d'un an sans vraiment avoir le visage d'une garçon ou d'une fille…

Et la vie continue

Je commence l'année scolaire dans un esprit embrouillé : le tourbillon des derniers mois me fait hésiter quand on me demande « Savannah, qu'est-ce que tu as fait durant tes vacances ? » Je suis supposée leur répondre quoi moi ? Que j'ai été en amour ? Que j'ai eu ma première relation sexuelle ? Que je me suis fait niaiser ? Que je me suis fait avorter ?

Pas question de parler de Christophe, c'est encore difficile pour moi. Je crois que je ne l'ai pas vraiment oublié et, après toute la colère ressentie envers lui, je garde quand même le souvenir de nos beaux moments, alors pas question de leur dire la raison de notre rupture, on ne sait jamais... et s'il revenait ? Parler de mon avortement, ça aussi c'est difficile pour moi. Personne, sauf Céleste, n'est au courant et je ne désire pas que cela se retrouve sur la place publique. Malgré le fait que l'intervention se soit bien passée, il me reste des bribes de regrets, des « et si je m'étais trompée ? », mais le soulagement qui m'envahit depuis que je ne porte plus le bébé est si grand qu'il engloutit tous mes doutes et me laisse le goût d'une paix intérieure qui me semble parfois un peu amère.

Ma mère et moi n'avons jamais reparlé de mon avortement. J'ai cru que cet événement allait nous rapprocher ou du moins nous permettre de bâtir une nouvelle relation plus profonde, mais c'était bien mal connaître ma mère. Autant elle fut disponible et sensible à l'intervention, autant après elle est redevenue rigide et surprotectrice. À croire qu'elle ne veut pas que je grandisse ou qu'elle fait comme si de rien n'était. Pourtant, ce n'est pas rien, ni pour moi ni pour elle. Ses larmes étaient réelles et sa peine était vraie, où a-t-elle caché tous ces sentiments ? Comment fait-elle pour être aussi fermée ? Bref, je crois qu'elle ne changera jamais, je sais qu'elle m'aime à sa façon et que notre relation pour le moment se résume à ce qu'elle veut et ce que je peux négocier avec mon père. Plus tard on verra, pour l'instant ça me convient.

L'école est commencée depuis quatre mois quand décembre voit ses premiers flocons voleter dans le ciel. Les élèves ont fini leurs examens d'avant Noël et moi, je viens de mettre fin à ma deuxième relation avec un gars. J'essaie mais rien n'y fait ; même si les deux gars avec qui je suis sortie sont sympathiques et très gentils, il y a toujours quelque chose qui ne va pas. Avec le premier ça a duré trois semaines, mais je trouvais qu'il y avait un manque de complicité. Pour le deuxième, deux semaines ont suffi ; il n'avait aucun sens de l'humour. Je n'ai fait l'amour avec aucun des deux ; il reste donc une partie de mes souvenirs qui n'ont pas été effacés. Il y a aussi ma mère qui ne m'aide pas. Elle me questionne autant qu'avant sinon plus et refuse la majorité des sorties qui me sont offertes. Elle me dit que c'est parce qu'elle veut me protéger, qu'à mon âge on ne sait pas c'est quoi l'amour et qu'on mélange tout. Elle ne me faisait visiblement pas confiance, quoiqu'elle dise le contraire. L'autre jour je l'ai entendue parler à mon père : « Savannah grandit si vite, je voudrais tant qu'elle ne souffre plus comme l'autre fois. C'est difficile pour un cœur de mère de voir sa fille avoir mal et ne rien pouvoir faire. C'est ma petite fille à moi et je veux qu'elle soit heureuse c'est pour cela que je dois l'éduquer sévèrement, il faut que je la prépare à la vraie vie pour qu'elle puisse se débrouiller seule… » C'est à ce moment que je me suis dit qu'elle m'aimait et qu'elle croyait bien faire et me privant de sorties, sauf que je suis bien assez grande pour me protéger moi-même.

J'ai alors décidé de miser sur l'amitié de mes trois grandes amies et je passe tout mon temps libre avec elles pour les entraînements intérieurs de soccer et nos soirées de filles. Laure est toujours avec Diego et la flamme ne semble pas s'éteindre. Quant aux deux autres, elles sont devenues de véritables chasseuses d'hommes ; tous les gars deviennent d'éventuels prospects et s'ils succombent à leur charme, ils ont tôt fait de perdre l'intérêt qu'ils avaient préalablement suscité. Tout ce qu'elles veulent, c'est s'amuser.

Parlant de s'amuser, nous allons passer la journée au centre de ski. C'est la sortie d'avant Noël, et tout le monde l'attend avec impatience. Plusieurs écoles s'y donnent rendez-vous et nous pouvons connaître de nouvelles personnes tout en profitant du site. En ce jeudi, le temps est avec nous et nous offre un soleil éclatant accompagné d'une petite neige frivole.

Après quelques descentes rapides en ski, Macha et Céleste décident d'aller au chalet, question de boire un bon chocolat chaud et de voir si elles y trouvent quelques beaux entraîneurs. Laure et moi optons plutôt pour les glissades avec des chambres à air. Nous nous dirigeons vers la pente Ouest quand nous sommes soudainement projetées sur le sol.

— Les filles, êtes-vous blessées ? demande un gars.

— Excusez-nous, on ne voyait plus rien et on a perdu le contrôle de notre chambre à air. On n'a pas réussi à vous éviter, est-ce que ça va ? questionne l'autre gars.

Toutes les deux étourdies, nous nous relevons tranquillement. Nous touchons à tous nos membres pour nous assurer que nous sommes encore en un seul morceau.

– Vous auriez pu faire attention les gars, vous auriez pu nous blesser gravement, dit Laure.

– On s'excuse, on est vraiment désolés, vous êtes certaines que ça va ?

– Oui, oui ça va, pas la peine de nous le demander cent fois, que je réponds agacée.

– Mais je reconnais cette voix, c'est Savannah. Je ne t'avais pas reconnue, habillée comme ça, répond le premier gars.

– On se connaît ? que je demande, surprise.

– On s'est vus en juin à la fête donnée chez Étienne, je suis Math, ou plutôt Mathéo.

– Mathéo ? Ah, oui ! Je m'en souviens, je ne t'aurais jamais reconnu non plus… si tu voulais qu'on se parle, tu n'étais pas obligé de nous foncer dedans, dis-je en souriant.

– Vraiment ? réplique-t-il, en répondant à mon sourire. Écoutez les filles, pour être certains qu'on ne vous blesse pas, venez vous glisser avec nous…

– D'accord, mais c'est nous qui allons diriger les chambres à air, question de sécurité…

Laure et moi passons donc le reste de l'avant-midi à glisser avec Mathéo et ses amis. Ils sont très drôles et très acrobates, ce qui donne lieu à toutes sortes de situations marrantes. Ivres d'air pur et de leurs clowneries, nous ne cessons de rire que pour respirer. Pour la première fois depuis mes mésaventures estivales, je ris à pleins poumons sans me poser de questions ; je réalise que ma vie ne s'est pas terminée avec la rupture et que je suis capable d'être heureuse sans Christophe. Serais-je sur la voie de la guérison ?

Pour le dîner, nous retrouvons Céleste et Macha qui ne sont pas ressorties du chalet. Elles papotent sans arrêt sur les numéros de téléphone qu'elles ont obtenus, sur les gars qu'elles ont rencontrés, sur celui qui est le plus mignon... tant et si bien que notre repas est sans cesse ponctué de salutations à tout ce qui est de sexe masculin. Lasse de toutes ces banalités, je mange en vitesse et sors sur le balcon prendre l'air ; enfin le silence. Je respire profondément et savoure la beauté du paysage. Ce paysage, je l'avais déjà vu et n'avais pas remarqué qu'il pouvait être si beau et si attirant ; ce paysage aux cheveux noirs et aux yeux d'amande me fait rire ; Mathéo s'approche de moi en culbutant et en faisant des pitreries.

– Tu n'arrêtes donc jamais ?

– Non, pas quand je veux faire rire la plus belle fille de la place...

Je souris et lui fais signe de venir me retrouver. Doucement, sans cesser de me regarder, il s'approche. Envoûtée par la profondeur de ses yeux et les courbes sinueuses de sa bouche, je me surprends à souhaiter que son souffle réchauffe mon cou et enveloppe mon cœur. Réalisant toute ma vulnérabilité, j'essaie de reprendre le plein pouvoir de mes sens qui sont en alerte : « Calme-toi Savannah, calme-toi. »

Maintenant qu'il est tout près de moi, je me sens attirée par lui, par ce qu'il dégage, son aisance et sa simplicité qui le rendent irrésistible. Il s'intéresse à ce que je suis, ce que je veux et à ce dont je rêve. Loin de se sentir menacé par mes idées, il les écoute même s'il n'est pas d'accord.

La proximité, si restreinte entre nous deux, me laisse voir de près le reflet surprenant de ses yeux quand il me regarde et le mouvement de sa bouche qui m'étourdit. Je réponds à ses questions, engourdie par mon désir qui s'éveille ; désir de lui plaire et de partager ce que je suis avec lui.

Tout à coup le vent du nord se lève et me glace le dos quand, dans son sifflement, j'entends « Salut ma puce, ça fait longtemps, hein ? » Tout se fige, tout se glace et tout se brise. Une bière à la main, Christophe se tient derrière moi, accompagné de deux gars du même genre, à peine capable de tenir sur ses deux jambes. Chambranlant, mais quand même en mesure de parler, il continue :

– Je voudrais te présenter à mes deux copains...
je leur disais justement comment toi et moi on avait
passé du bon temps ensemble, si tu vois ce que je
veux dire... mais tu n'es pas seule à ce que je vois...
mais c'est le Roméo du « party »... pauvre toi, t'as
pas encore compris qu'une fille comme Savannah,
c'est pas pour un gars comme toi... Ces filles-là, ça
aime les gros bras capables de les satisfaire... pas les
grosses têtes qui pensent juste à parler... ça leur
prend des vrais gars comme nous... dis-le Savannah
comment tu aimes...

Incapable de me retenir plus longtemps, je lui
donne une claque à la figure et l'oblige à s'en aller en
lui criant des bêtises.

Le bref moment de plénitude vécu avec Mathéo
fond comme la neige au soleil. Christophe est passé
comme une tempête en emportant sur son passage
les liens que Mathéo et moi avions tissés. Rouge de
colère et d'humiliation, je n'ose même plus regarder
Mathéo. Sentant mon désarroi et mes tremblements de
rage, Mathéo fait comme si rien ne s'était passé et me
demande :

– Alors, Savannah, vous allez vous joindre à nous,
cet après-midi ?

– Je ne crois pas, nous allons partir bientôt, le père
de Céleste vient nous chercher, nous devons nous
entraîner pour le tournoi de la semaine prochaine, que
je réponds en bégayant.

Le choix de *Savannah*

– Dommage, on s'est bien amusés, ce matin. Peut-être qu'on pourra remettre ça samedi ?

– Samedi ?

– Mes amis et moi allons glisser au chalet de mon père, vous pourriez venir ? demande-t-il timidement.

– Je suis désolée, nous avons un entraînement samedi après-midi...

– Ce n'est pas grave, venez nous rejoindre après, on se fera une bouffe...

– C'est que... samedi soir nous avons une soirée chez Étienne, avec l'équipe de foot pour souligner le congé et j'ai promis d'y accompagner...

– Laisse faire, j'ai compris. On oublie ça, pour samedi. Les copains m'attendent pour descendre la pente. Alors à la prochaine Savannah.

Et, sans que je sache pourquoi, je panique à l'idée qu'il s'en aille comme ça. Nous avons passé de si beaux moments et j'étais bien avec lui... Je dois le retenir, le connaître un peu plus pour savoir si mon cœur bat pour lui ou pour le passé qu'il me fait oublier. Sans savoir ce qui sortira de ma bouche, je l'ouvre pour qu'au moins j'essaie quelque chose :

– Et si tu m'accompagnais samedi, Mathéo ? que je demande aussi surprise que lui.

– Moi ? Mais tu accompagnais quelqu'un.

– J'y allais avec Céleste. Mais je pense qu'elle m'a trouvé un remplaçant aujourd'hui, alors tu acceptes ?

– Laisse-moi y penser deux secondes... C'est d'accord. À quelle heure je dois être chez toi ?

– À sept heures et ne sois pas en retard sinon...

– Sinon quoi ? Tu vas me laisser seul avec le gros bras de tout à l'heure...

On éclate de rire et, d'un accord silencieux, nous éclipsons l'ânerie de Christophe et retrouvons la chaleur de nos regards. Sans le savoir, sans le vouloir, sa bêtise nous aura permis de nous rapprocher et ne serait-ce qu'un instant, aussi infime que temps de vie d'un flocon, j'oublie toute ma douleur pour me consacrer à ce moment de bonheur.

Et pourquoi pas
une deuxième chance ?

Je regarde mon miroir une dernière fois et l'image qu'il me renvoie me satisfait. J'ai attaché mes cheveux et laissé quelques mèches folles tomber sur mes épaules. Mon chandail rose torsadé rehausse mon teint tandis que mon jeans, ajusté à la taille et évasé vers le bas, élance ma silhouette. Maintenant rassurée sur mon « look », je peux me concentrer sur ma soirée. Je sais que Christophe sera là et j'appréhende de le revoir parce que je ne suis pas certaine de ma réaction. Si seulement je pouvais le haïr autant que je l'ai aimé, s'il n'avait pas dit ces choses au centre de ski, si seulement il n'avait pas été si menteur, si seulement et seulement si, il avait été quelqu'un d'autre que lui-même... et si jamais il regrettait ce qui était arrivé ? S'il était repentant ? Je ne suis même pas certaine que je pourrais lui dire d'aller voir ailleurs... Et Mathéo dans tout ça ?

– Savannah, ton ami est arrivé, me crie ma mère.

– J'arrive maman, que je réponds en souriant au miroir.

En descendant, l'escalier j'entrevois Mathéo et les battements de mon cœur, suivant le cours régulier de ma respiration, s'accélèrent et me laissent deviner qu'il ne m'est pas totalement indifférent… Est-ce qu'on peut aimer deux gars en même temps ? Mon questionnement intérieur s'éteint de lui-même dès que Mathéo se tourne vers moi : toute l'admiration, que je lis dans son regard me fait rougir et quand, sur le pas de la porte, il frôle légèrement mon oreille pour y chuchoter « tu es vraiment belle, Savannah » je crois défaillir. Jamais on ne m'a aussi sincèrement complimentée sans rien demander en retour. C'est à ce moment que je comprends la principale différence entre lui et Christophe ; Mathéo a un intérêt réel pour quelqu'un d'autre que lui-même.

Arrivés à la fête, je présente Mathéo à Macha et à Céleste qui, l'une après l'autre, viennent me donner leur opinion : il est vraiment mignon et très drôle. Heureuse de l'avoir invité avant qu'elles s'en chargent, j'entraîne mon invité au salon. Nous trouvons refuge tout près de la piste de danse entre la table de salon et le sofa. Nous passons la première heure à parler en tête-à-tête où, occasionnellement, quelques frôlements hésitants nous rapprochent. Nous sommes si près que je peux sentir son parfum, tout aussi doux et séduisant que ses paroles et j'entends sa respiration qui m'appelle. Toute mon attention se tourne alors vers ses lèvres rouges et enflammées.

– Ça va Savannah, pourquoi tu me regardes comme ça ?

– Rien, c'est juste que j'ai soif.

– Je vais aller nous chercher quelque chose à boire, d'accord ?

– Oui. Je vais prendre un verre de punch.

– C'est comme si c'était déjà servi, me dit-il, en m'embrassant la joue.

Je le regarde s'éloigner en goûtant sa démarche souple et attirante et en me demandant quand est-ce qu'il se décidera à m'embrasser ? Je réalise soudainement que j'ai envie de lui, de sa bouche, de ses mains, de ses yeux qui me dévorent, je sens en moi le désir en éruption comme un volcan trop longtemps éteint. Mais à peine ai-je commencé à laisser monter ce désir qu'une ombre rampe jusqu'à moi : j'aperçois alors Christophe, l'air penaud. Je tente de l'ignorer mais il reste là, sans bouger :

– Savannah, je veux te parler.

– Laisse-moi tranquille, je n'ai pas envie de me faire insulter une fois de plus et je suis avec quelqu'un.

– Quoi ? Tu es avec ce Roméo, je suppose ! Tant pis, je veux te parler quand même. Laisse-moi cinq minutes, s'il te plaît…

– Cinq minutes et après, tu me laisses tranquille.

– Je veux m'excuser, ma puce, m'excuser de t'avoir trompée et menti. Excuse-moi de mes doutes pour le bébé, pour mon absence à l'avortement… Je suis désolé de t'avoir insultée au centre de ski. Je suis désolé de t'avoir fait tant de peine et de honte, je suis stupide… et je réalise trop tard ce que j'ai perdu… Je sais que tout ce que j'ai fait est impardonnable mais, ma puce, je m'ennuie de toi. Tu es tout ce que je désire d'une fille et si je suis un idiot, je le suis encore plus sans toi, j'ai besoin de toi pour être quelqu'un de bien. Laisse-moi une autre chance.

J'en ai le souffle coupé, les paroles qui coulent de sa bouche sont celles qui m'ont endormie pendant ces derniers mois. J'ai rêvé ce moment, j'ai prié pour qu'il arrive sans oser espérer que cela se produise, et j'ai été entendue. Le doute émerge, mais pourtant je ne repousse ni ma joie ni ses mains qui se posent sur ma taille. Pendant qu'il m'embrasse dans le cou, mes yeux scrutent l'horizon pour voir si Mathéo arrive. Évidemment, c'est ce moment qu'il choisit pour revenir.

Dès qu'il nous voit ensemble, son visage passe de la stupéfaction à la colère, du désarroi à la douleur et ce que je lis, à ce moment, dans ses yeux me rappelle vaguement quelque chose. D'un discours muet il me questionne sur le « pourquoi ? », le « comment ? », le « qu'est-ce qui se passe ? », le « et moi dans tout ça ? » mais je ne sais que répondre. Aussitôt que Mathéo dépose les verres et se retourne pour s'en aller, mon cœur cesse de battre. La joie qui tantôt m'électrisait s'estompe pour laisser place à l'hésitation : est-ce que je veux vraiment de Christophe parce que je l'aime encore ou par orgueil ? Je ne sais plus, je repousse Christophe pour qu'il cesse son embrassade et essayer de respirer un peu, tout va trop vite.

– Laisse-toi faire ma puce, me dit Christophe, nous sommes si bien ensemble.

– Je ne sais pas Christophe...

– Moi je sais, ma belle, je sais que tu m'aimes et que tu ne peux pas te passer de moi... tu es si belle... laisse-moi t'aimer une autre fois... une dernière fois avant de m'oublier si tu veux retourner avec ce nul... Allez viens, allons dans la chambre je n'en peux plus...

Et, tout à coup arrive la lucidité. Tout me revient en mémoire, son égoïsme, son besoin de tout ramener au sexe, les compliments pour arriver à ses fins, ses mensonges, le rabaissement des autres et ses caresses vides de sens si elles ne finissent pas au lit. Je prends conscience que tout le désir propagé par Mathéo qui me consumait tout à l'heure s'est éteint avec l'arrogance de Christophe. Et, comme dans un film, je revois le visage de Mathéo crispé de douleur et je comprends l'impression de déjà-vu qu'il produisait en moi ; cette douleur a aussi été la mienne quand j'ai vu le gars que j'aimais avec une autre fille.

– Non, arrête Christophe, je ne veux pas faire l'amour avec toi et je ne veux pas non plus reprendre avec toi.

– Quoi ? Mais c'est impossible ! Ne me dis pas que tu préfères ton espèce de zéro qui ne doit même pas savoir baiser !

– Le sexe ! Tu parles juste de ça toi, le sexe ! Il n'est pas comme toi, lui, il y a autre chose dans sa vie que ça ! Alors, quand tu parles de lui, fais attention à ce que tu dis. Tu ne le connais même pas. Tu as toujours été sûr de toi et arrogant, eh bien, laisse-moi te dire la vérité : je ne veux plus de toi, Christophe, parce que c'est toi le nul qui pense que toutes les filles l'adorent alors que c'est tout le contraire. Tu devrais retourner à l'école pour apprendre que l'amour ça se fait à deux alors que toi tu es tellement préoccupé par ton petit plaisir que tu oublies celui de l'autre ; et laisse-moi te dire que je n'ai jamais autant compter les minutes que quand on faisait l'amour, j'avais juste hâte que tu finisses enfin !

Son visage s'empourpre puis vire au blanc, alors que je le repousse pour sortir de cette maison. Je m'en veux d'avoir été aussi aveugle avec Mathéo et d'avoir été aussi naïve en croyant que Christophe pourrait changer. Je pense que j'étais beaucoup plus amoureuse de l'amour que du gars en question ; ce qui est fait est fait, et tout ce qu'il me reste à espérer c'est que Mathéo ne soit pas parti.

Le choix de *Savannah*

Sur le palier, je regarde un peu partout et ne vois Mathéo nulle part. Je cours vers sa voiture, m'adosse sur la portière du chauffeur et décide d'y rester jusqu'au retour de son propriétaire. Après plusieurs minutes et une bonne centaine de scénarios possibles, j'entends les pas de quelqu'un. Doucement, le vent se lève et me fait frissonner ; je ferme les yeux et souhaite de tout mon cœur que Mathéo puisse me pardonner...

– Tu ne devrais pas rester là sans bouger, tu vas avoir froid, me dit Mathéo.

– J'attends le gars à qui appartient cette voiture, je veux lui parler.

– Il est allé marcher un peu, il a dit qu'il avait besoin d'air pour éclaircir ses idées. Ne l'attends pas pour rien, il a dit qu'il ne voulait voir personne.

– J'attendrai quand même, c'est trop important, que je réponds d'une voix brisée.

– C'est comme tu veux, mais tu perds ton temps, qu'il me répond en se retournant.

– Attends, ne pars pas. Est-ce que tu peux lui transmettre un message de ma part.

– Je peux lui faire ton message, mais je ne pense pas qu'il te réponde, il était vraiment troublé tu sais... c'est quoi ton message ?

– Dis-lui que je suis vraiment désolée et qu'il doit me laisser lui expliquer ce qui s'est passé. Ce qu'il a vu ce n'est pas ce qu'il croit… J'avais seulement besoin de savoir si mon cœur battait encore pour ce gars, de savoir si enfin j'étais guérie…

– … je ne sais pas s'il va te croire, réplique-t-il sèchement, parce que ça fait deux fois qu'il doit laisser sa place à ce gars… Je lui ferai le message, Savannah, mais je ne te promets rien. Rentre maintenant, tu vas vraiment avoir froid…

Et, sur ces paroles, il me laisse là, toute seule. Il s'éloigne tranquillement et même s'il ne semble pas m'écouter, je laisse la brise froide lui porter mes dernières paroles ponctuées de sanglots.

– Dis-lui aussi que je sais que c'est avec lui que je veux passer du temps, c'est de lui dont j'ai envie… Dis-lui que sa chaleur et son humour me manquent, que je comprends qu'il doute de moi mais que je l'attendrai ici, même si je tremble de froid parce que, sans lui, je ne sens plus rien ni en dedans ni en dehors… Dis-lui que je l'aime plus que mon passé et que je suis prête à vivre dans le présent, avec lui…

Il a continué de marcher sans même se retourner. Tout est fini, tout est perdu ! Un monde à découvrir que je dois aussitôt oublier. Immobilisée par le trou noir qui s'est formé autour de moi, je ne bouge ni mon corps ni ma tête et ne pense qu'à calmer ma douleur : j'ai été trompée, j'ai vécu une rupture et un avortement, j'ai pleuré un gars qui ne le méritait pas et j'ai dû perdre l'amour pour apprendre ce qu'il était. C'est beaucoup en si peu de temps, c'est même trop et ça me fait trembler encore plus parce qu'à chaque serrement, une larme coule sans que personne ne soit là pour la sécher.

Je ne sais combien de temps je suis restée là, perdue dans mon apitoiement, mais l'engourdissement de mes jambes me ramène à l'ordre et je décide enfin de rentrer. Alors que j'approche de la maison, je l'aperçois, bien accoté à l'arbre qui définit l'entrée. Il semble trembler par ce vent froid ; il est donc là depuis longtemps... il est resté près de moi, juste là sous l'arbre, il ne m'a pas laissée seule... m'aimerait-il un peu ? Les bras croisés, son visage ne laisse rien transparaître. Mais j'ai compris que tout est fini et, les papillons au ventre, je rassemble tout mon courage pour passer devant lui sans le regarder...

– Excusez-moi, mademoiselle, mais j'ai transmis votre message au propriétaire de la voiture et...

– C'est gentil mais j'ai compris... dis-je en retenant mon souffle.

S'avançant vers moi, il me laisse enfin voir ses yeux qui semblent aussi effrayés que les miens. Ses mains font comme une danse entre mon corps et le sien, ne sachant si elles doivent m'approcher ou me repousser. Reculant vers l'ombre, il m'entraîne avec lui. Ses bras m'entourent et sa voix tourne autour de moi comme le chant d'un oiseau blessé :

– Est-ce que c'est vrai Savannah, ce que tu m'as dit tout à l'heure ? Est-ce que c'est vraiment fini ton histoire avec l'autre ? Tu es une fille formidable et si tu veux sortir avec d'autres, c'est d'accord, mais tu me le dis et c'est tout... Je ne veux pas perdre mon temps à t'espérer si... Est-ce que tu es certaine de tes sentiments ?

– Oui, Mathéo, j'ai tourné la page avec Christophe et c'est toi qui m'y as aidée... Je pensais tout ce que je t'ai dit et je le pensais avec tout ce que mon cœur peut offrir. Avec toi, tout est si simple, si sincère, si bien... c'est toi que je veux, Mathéo, je t'aime pour vrai...

Et, pour soutenir mes paroles, je caresse ses cheveux délicatement jusqu'à ce que mes doigts trouvent enfin repos sur sa nuque et je l'embrasse légèrement. Je fais une pause, le temps de voir sa réaction qui ne se fait pas attendre. L'une après l'autre ses mains me collent à lui et sa bouche cherche la mienne. Nous nous embrassons passionnément et les papillons tourbillonnant dans mon ventre s'envolent et tournent autour de nous pour célébrer leur retour.

Sur les rives de la découverte

Janvier a été dur et froid, et rien ne laisse présager que février sera plus clément. Depuis deux mois que Mathéo et moi nous sortons ensemble, tout se passe bien et plus le temps passe, plus nos sentiments s'approfondissent. Je découvre ce qu'est l'amour sincère et apprends à faire confiance à nouveau ; tout comme mes parents le font envers moi. Ils ont été un peu méfiants envers Mathéo mais ils se sont rendus à l'évidence après quelques semaines : il mérite leur confiance et me rend heureuse. Ils ont donc accepté de me laisser un peu plus de liberté avec lui, moyennant quelques conditions tout de même.

Pour souligner notre deuxième mois de fréquentation, Mathéo et moi voulions passer une nuit au chalet de ses parents. Quand j'en ai parlé à la maison, ma mère a tout de suite refusé. « Ma fille, nous sommes bien prêts à te laisser un peu de liberté, mais quand même… » Et j'ai argumenté sans que cela donne quoi que ce soit. Mon père et ma mère en ont reparlé quelques jours plus tard et ils m'ont demandé si les parents de Mathéo étaient au courant, où était le chalet et ils ont souligné qu'ils appréciaient le fait que je leur en aie parlé. Bon, j'ai saisi que cela vient de mon père, mais ma mère a gardé le silence. Ils ont finalement donné leur permission en précisant que cela ne serait pas une habitude et qu'ils ne comptaient pas me permettre d'aller chez lui pour la nuit ou qu'il vienne chez nous. Le sujet était clos, sans possibilité d'en discuter à nouveau avant bien longtemps. Comme je tenais absolument à cette nuit au chalet, j'ai accepté toutes leurs conditions.

Cet endroit est accueillant et possède un cachet romantique… tout comme la chambre à coucher que je viens de voir. Je souris en la voyant car je pense à la dernière fois où Mathéo et moi avons essayé de faire l'amour. C'était il y a un mois, chez lui un samedi soir. Nous étions si nerveux que nous avons eu besoin de nos quatre mains pour ouvrir l'enveloppe du condom et nous avons tellement ri que nous avons fini par briser le condom. Loin d'être fâché, Mathéo a dit : « Ce n'est pas grave, on peut faire un tas de chose sans aller jusqu'au bout. » Très incrédule j'ai répondu : « Mais, ça fait un mois qu'on sort ensemble, c'est le temps de faire l'amour. » Délicatement il a pris ma main et l'a posée sur son cœur en me répondant : « Vouloir faire l'amour ça vient du cœur quand on désire quelqu'un, pas de la tête parce que ça fait un mois qu'on sort avec cette personne… » Malgré mon incompréhension, je l'ai laissé me guider ce soir-là et, sans faire l'amour, nous avons eu du plaisir à découvrir de nouvelles sensations jusque-là encore inconnues.

Aujourd'hui, je comprends ce qu'il voulait dire, je le sais parce que quand il me touche, je frissonne ; quand il m'embrasse, j'en veux plus ; quand on rit ensemble, j'ai envie de faire durer cette complicité ; quand il me caresse, j'ai envie d'intensifier ce plaisir ; et quand il me prend dans ses bras, j'ai envie de ne faire qu'un avec lui. En toute liberté, je le désire et c'est merveilleux.

– Alors, que dis-tu de notre petit chalet ? me demande-t-il.

– Je le trouve parfait, tout comme toi, dis-je en l'embrassant.

– Est-ce que tu as défait la glacière pour le repas ?

– Non, j'étais trop absorbée par ma visite.

– Et qu'est-ce qui t'a autant intéressée ?

– Tout est très bien mais il y a une pièce en particulier qui m'a marquée, dis-je d'une voix suave.

– Ah oui ? Et quelle peut bien être cette pièce ? répond-il langoureusement.

Je le prends par la main et le dirige vers la chambre à coucher derrière l'escalier. À l'intérieur de la pièce règne une odeur de fruits exotiques provenant d'un bouquet de fleurs séchées. Décorée de couleurs de pays du Sud, elle est comme une invitation à s'abandonner à la vie et ses plaisirs.

Le bref rayon de soleil qui nous salue avant d'aller se coucher laisse passer par la fenêtre une multitude de teintes qui se reflètent sur nos deux visages se sculptant de désirs. Ses yeux s'amarrent aux miens et ma bouche s'ancre à la sienne. D'un seul souffle, nous voguons d'un corps à l'autre et d'une voix à peine perceptible, j'entends dans le vent : « Je t'aime, Savannah, mais je ne veux t'obliger à rien… » Et comme seule réponse, je le caresse en souriant.

Nos mains languissantes trouvent appui sur nos corps tremblant de désirs. Délicatement nous enlevons nos vêtements, sans cacher notre nudité qui rend nos désirs insoutenables. Nos bouches se trouvent et nos lèvres se mordillent pendant que notre souffle s'accélère. Mathéo me prend dans ses bras et m'étend sur le lit. Il me regarde tendrement et me caresse. Je frisonne et même temps que lui et à l'unisson nous ne faisons qu'un. J'entends son cœur qui bat et je sais qu'il a autant de plaisir que moi. Nous faisons l'amour en savourant chaque instant, chaque minute et chaque sensation. J'ai l'impression que le temps n'existe plus, sauf qu'il poursuit sa route et met fin à ce bref moment de pur bonheur.

Tous les deux allongés et satisfaits nous nous regardons amoureusement. Sur mon front, je sens un léger baiser qui se transforme en « je t'aime ». Incapable de répondre, je me blottis un peu plus creux dans ses bras et dans ceux de Morphée, en me disant que ce soir, pour la première fois, j'ai fait l'amour.

Le lendemain matin, je m'éveille en tentant de graver dans ma tête chaque moment passé dans ce nid douillet d'amour : l'union de nos deux corps, notre souper en tête-à-tête, nos rires durant la soirée et la nuit passée dans les bras de mon Roméo. Jamais je n'oublierai cette escapade amoureuse.

Comblée et fébrile, je regarde Mathéo qui dort encore. Je me lève et m'installe au salon, près de la fenêtre où le soleil concentre tous ses rayons. Je ferme les yeux et doucement je me laisse aller à tous les souvenirs de ces quelques mois qui viennent de passer.

C'est à ce moment de paix que, bizarrement, je me rends compte à quel point j'ai eu besoin de ma famille et de mes amies. Beau temps, mauvais temps, j'ai été entourée par quelqu'un qui m'aimait et pour qui j'étais importante. Ce qui me permet aujourd'hui d'approcher mes seize ans en étant heureuse et confiante en l'avenir.

J'esquisse un bref sourire en me disant que je croirais entendre penser mes parents. Pourtant s'il y a une chose qui a changé au cours de cette année, c'est bien mon envie de devenir adulte le plus vite possible. Il y a un temps pour chaque chose, que répète ma mère, et quand ce sera le temps, je serai adulte, mais pas maintenant...

Je suis jeune, j'ai des rêves plein la tête, j'ai des amies formidables, une bonne famille et toute la vie devant moi pour en profiter. C'est ça le secret de l'adolescence ; profiter du temps qui nous reste pour nous amuser... et pourquoi pas continuer d'en profiter même quand je serai adulte ; s'amuser ça fait partie de la vie après tout !

Ressources

SOS Grossesse
1 877 662-9666
accueil@sosgrossesse.ca
www.sosgrossesse.ca

S.O.S. Grossesse (Estrie)
1 877 822-1181
sosgrossesseestrie@abacom.com
www.sosgrossesseestrie.qc.ca

Centre Conseils Grossesse
514 593-1720
info@ccgrossesse.org
www.ccgrossesse.org

Centre de santé des femmes de Montréal
Ligne Info-santé femme: 514 270-6110
                          514 270-6113
info@csfmontreal.qc.ca
www.csfmontreal.qc.ca

Jeunesse, J'écoute
1 800 668-6868
www.jeunessesjecoute.ca

Tel-Aide
514 935-1101
www.telaide.org

Tel-Jeunes
1 800 263-2266
www.teljeunes.com

Déjà paru

Si tout a dérapé, c'est seulement parce que je n'en pouvais plus de voir la photo de mon cul partout... C'est déjà si dur d'avoir à le traîner ! Je sais, je sais... Je ne devrais pas utiliser le mot « cul ». Ce n'est pas un mot très « littéraire »...

Mais ce qui suit n'est pas une histoire gentille. Quand une gang de filles vraiment pestes ont photographié mes fesses à la piscine et ont fait circuler la photo de cellulaire en cellulaire, j'ai réagi comme d'habitude : je me suis bourrée de chocolat et je me suis défoulée sur mon blogue. Puis cette fille, « Kilodrame », m'a laissé un message. Elle avait un moyen de me libérer complètement de mes problèmes de poids et de mes obsessions de bouffe. Une idée de carnet...

Oui, j'ai maigri. Oui, j'ai enfin découvert la vie. Mais pas celle que j'imaginais...

Si vous voulez des beaux mots, gentils et propres, il faut choisir un autre livre. Lire le trépidant quotidien de Lisa, la belle Lisa, la mince Lisa. Ou de sa copine Justine, si jolie et si fine. Et me laisser, avec mes kilos en trop et mes bourrelets, en marge de la page. Moi, c'est une histoire de cul que j'ai à raconter. Mais pas celle à laquelle vous vous attendez !

*Un roman formidable qui n'a pas peur d'appeler un chat un chat, qui capte notre attention dès les premiers mots pour ne pas la relâcher avant la dernière page. Beaucoup d'humour et d'ironie, mais surtout, l'absence de clichés malgré la gravité des sujets évoqués : les **troubles alimentaires**.*

Chapitre 1

Tout a commencé un jeudi d'octobre à la piscine. Je rentrais dans le vestiaire. Ah, le vestiaire ! Problème de physique insoluble, je vous recopie l'énoncé : soit une serviette de longueur égale à mon tour de taille mais largement inférieure à mon tour de cuisses. Démontrez qu'il est possible que le rectangle de tissu cache la superficie graisseuse, et cela alors que les deux formes sont en mouvement. (Que je déteste la physique...) La démonstration est impossible. Je sais, j'ai essayé. Le temps de pousser la porte de la cabine pour me changer, j'ai tenu la serviette d'une seule main. J'ai senti le tissu glisser entre mes doigts, j'ai entendu le « clic », une voix basse mais triomphante et quelques rires étouffés : « Je l'ai. » Elles l'ont eu.

Qui ça ? Je ne sais pas, la porte était bien entendu refermée quand je me suis retournée. Elles étaient forcément au moins deux. Elles pouvaient, elles, rentrer à plusieurs dans une cabine.

Ont eu quoi ? Mais mon cul, voyons. Mon gros cul. Elles l'ont fait entrer dans leur minuscule cellulaire grâce à l'appareil photo intégré. Belle prouesse technologique ! Elles ont sobrement appelé la photo « Gros cul ». Et ce jeudi d'octobre, le gros cul a commencé à circuler. Il s'est « texté », s'est envoyé par courriel aussi.

Avec cette affaire, mon imposant arrière-train s'est même vu de devant. « Gros cul » devait être écrit en plein milieu de mon front, car même des élèves qui ne me connaissaient pas se sont mis à m'appeler ainsi.

Notez que j'étais habituée à l'insulte. « Bouge-toi gros cul », « tais-toi gros cul », me ressassait depuis longtemps Gabin, mon grand frère. Même s'il était désormais cégépien, mon aîné restait plutôt limité côté conversation.

Il m'a fallu quelques heures à peine pour apprendre que la photo de mes fesses circulait, avec mon nom bien entendu. Il a fallu quelques jours pour qu'une bonne âme se décide enfin à me l'envoyer aussi. Expéditeur caché, bien entendu.

Du coup, je L'ai vu. Je me suis vue de derrière. J'étais déci-dément plus gourmande que les autres, cette petite photo ne m'a pas suffi. Alors, j'ai pris le miroir sur pied de la chambre de mes parents, je l'ai apporté dans la salle de bains, face à la grande glace de la porte. Taille réelle, c'était autre chose ! J'ai étudié cette silhouette si peu harmonieuse, fine en haut, généreuse en bas. Je l'ai scrutée même. Cherchez l'erreur : la poire avait une peau d'orange. L'examen scientifique a été complet : j'ai même calculé l'écart en centimètres entre mes deux pieds, alors que mes cuisses se touchent encore en haut. Quarante centimètres ! Grosses cuisses. Gros cul. Franchement, c'était bien cela.

Mais pas seulement.

Mon gros cul n'était pas qu'une grosse paire de fesses, un intolérable outrage aux pubs pour sous-vêtements *Victoria's Secret*. C'était moi tout entière. Les garces qui avaient pris cette photo ne savaient pas que *j'étais* un gros cul.

Certains matins (un sur deux, deux sur trois, trois sur quatre ?), ce mal-être dû à mon poids m'assaillait dès le réveil. J'étais grosse – j'étais goinfre. Je devais maigrir – je voulais manger. Ma journée démarrait sur cette idée. Et la lutte commençait. C'était officiel, j'étais au régime et je crevais d'envie de me gaver de chocolat. J'étais un monstre dévorant, dévoré par ses pulsions. Qui se cachait sous le sourire placide qu'affichait Manon.

Le jour où la photo de mes fesses a commencé à circuler, je n'ai pas pleuré. J'ai noyé ma honte dans le cacao. Deux plaques de chocolat... Trois, soyons honnête. Puis, l'estomac au bord des lèvres, je me suis approprié cette insulte, cette vérité : « gros cul ». J'ai bafoué un tantinet les règles d'orthographe : « grauku ». Ça dérange déjà moins, non ? Allez, je lui ai même ajouté une majuscule : Grauku. N'avait-il pas plus d'allure comme cela, mon surnom ? Il aurait presque pu faire moins mal. En tout cas, ce serait plus facile de conter les aventures de Grauku orthographié ainsi.

« Je suis Grauku », me suis-je répétée.

Ce même jour, j'ai créé mon blogue. J'avais pris l'habitude de me balader sur ceux des autres, à travers leurs chagrins. Si tous les obèses du monde pouvaient se donner la main ! Bien calée sur ce gros cul qui me gâchait la vie, j'ai décidé de franchir le pas. J'ai voulu frapper fort. J'ai juste mis en ligne la photo prise à la piscine. Et j'ai ajouté cette présentation minimaliste : « Je m'appelle Grauku. »

Le lendemain, j'avais déjà des commentaires. Il y en avait un particulièrement vicieux au sujet de la photo. Mais plusieurs étaient sympathiques, encourageants.

Compatissants ?

Pour ces inconnus qui, d'après leurs messages, souffraient aussi de surpoids, j'ai commencé à tenir ce blogue. C'est devenu un journal intime. J'aime écrire et j'ai un style efficace. Tous les soirs, je découvrais les commentaires avec autant de délectation que les annotations de ma prof de français sur mes copies de dissertation. Ils flattaient un *ego* qui en avait besoin, mais ne m'apportaient guère de solutions.

Deux semaines plus tard, je me suis fait une fois de plus insulter en traversant devant l'école.

– Eh, gros cul, t'avais cousu deux maillots de bain pour en faire un sur la photo ? m'a lancé Inconnu n° 1.

– Tu parles, ça débordait quand même ! a commenté Inconnu n° 2.

Et les deux ont éclaté de rire.

Ils ne me connaissaient même pas ; ils m'avaient agressée sans raison apparente, à moins que mon surpoids ne mette en péril la résistance de l'asphalte. Je suis rentrée à la maison, j'ai ouvert le placard, poussé les deux boîtes de café qui cachaient vainement le chocolat et avalé la plaque. C'est idiot, non ? Ce n'est pas une solution. Eh bien, essayez donc de m'en convaincre dans ces moments-là. Puis j'ai culpabilisé, j'ai envoyé promener ma mère qui pourtant n'avait rien dit et me suis réfugiée dans ma chambre. Pour pleurer. Je ne sais pas ce qui avait été de trop : l'insulte ou le chocolat. Mais vraiment, j'ai compris que je n'en pouvais plus.

Ma mère aussi a dû le sentir. Elle a doucement frappé à la porte de ma chambre, a même attendu ma réponse pour entrer et s'est assise au bord de mon lit. Elle m'a épargné ses anciennes ritournelles : « tu es si belle au-dedans », « mets-toi donc au sport ». Elle m'a simplement caressé les cheveux et a murmuré :

– On va y arriver, ne t'inquiète pas.

Franchement, j'ai aimé ce « on ». Je me suis dit que, peut-être, je pourrais compter sur Maman. J'ai apprécié aussi qu'elle ne me sorte pas une solution miracle, un nouveau médecin « carottes râpées » ou un diététiste « à mort le sucre ». J'en ai déjà tellement rencontré !

« On va y arriver »… Je me suis promis d'y croire cette fois-ci encore et me suis sentie apaisée. (Je suis championne pour me mentir.) Je me suis levée, j'ai allumé mon ordinateur. J'ai tapé l'adresse de mon blogue : grauku.reseaublog.com et j'ai déversé ma colère. Raconté ma fatigue, expliqué à quel point je me sentais perdue :

Le 16 octobre, Grauku a écrit

« J'ai la terrible sensation d'être un mystère, pour les autres et pour moi-même. Personne n'imagine à quel point je souffre de cette rivalité permanente entre mon envie de maigrir et mon besoin de manger. L'une entraînant l'autre. Plus je voudrais être une autre, plus l'envie de chocolat est violente. C'est la réponse à tous mes problèmes. Et la cause de tous mes maux. Alors " M. " et Grauku se disputent ma vie. Je voudrais être mince, être enfin moi. Quand je perds 100 grammes, le monde m'appartient. Je craque, je bouffe et je me convaincs que je resterai à jamais Grauku. Je ne sais même pas à quoi je ressemble. Je ne sais plus qui je suis vraiment. " M. ", Grauku ? Les deux.

Je crois qu'" avant ", j'étais bien. J'avais alors l'impression d'avoir un gros ventre mais je me trompais sans doute. C'est ce que je me dis quand je regarde les photos : bonheur à la plage, sourire de photo de classe. Puis, vers 10 ans, j'ai commencé à grossir. Insidieusement. Par derrière, en cachette, comme le chocolat que j'avale, que j'ingurgite, que j'engouffre. Un jour, une vendeuse a gentiment suggéré à ma mère de se diriger vers le rayon femmes pour trouver un pantalon à ma taille. Je n'avais que 12 ans et demi. A commencé alors la valse des régimes. Deux kilos en moins, trois en plus : ma balance a vraiment le sens du rythme. »

Je me suis relue avec une satisfaction amère. À défaut de modeler ma vie et mon corps comme je le voulais, je savais au moins en parler. J'avais su expliquer comment Manon devenait si souvent Grauku. Comment Grauku faisait souffrir Manon.

À peine une demi-heure plus tard, une certaine « Kilodrame » m'a laissé un commentaire. Ce n'était pas la première fois, mais là, ses mots m'ont particulièrement touchée.

 Kilodrame a laissé un commentaire

« Tu vas y arriver. Parce que j'y suis parvenue. Et si tu es Grauku, moi j'étais Énormeku. 😊 »

Dans la même collection

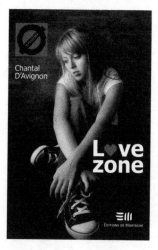

Marie-Michelle (Mich pour les intimes 😊) a 15 ans. Elle désespère de se faire un chum comme ses deux meilleures amies, Josiane et Marie-Ève, qui lui consacrent de moins en moins de temps pour cause de bécotage continuel... Jusqu'à ce que Mich rencontre Lenny, pour qui elle craque. Elle fera enfin la découverte de la complicité amoureuse, mais aussi, bien malgré elle, de la jalousie masculine... Il y a aussi Pierre-Olivier, un gars si doux, si attentionné, avec lequel elle se sent siiiii bien...

Qui a dit que l'amour était compliqué ? Une chose est certaine, cette personne avait VRAIMENT raison !! Et pourquoi faut-il toujours que nos parents ne nous fassent pas confiance et nous traitent encore comme des enfants ? Pfff...

Pas facile de gérer amours, famille, amis et études ! Voilà le dur constat que fera Marie-Michelle à l'aube de sa cinquième année du secondaire. Heureusement, à travers tous les tracas, il y a l'amour, le vrai, celui qu'on voudrait voir durer encore et toujours et qui nous donne des frissons dans tout le corps.

Alors, oserez-vous franchir vous aussi la Love zone, celle dans laquelle on est parfois plongé après un seul regard ?

*Une histoire toute en simplicité, à laquelle nombre d'adolescentes sauront s'identifier. **Premières relations amoureuses** riment avec naïveté, questionnements, conflits, mais aussi avec purs moments de bonheur... À vivre pleinement !*

-1-

Qui suis-je ?

Avril 2008

Je ressens soudain l'urgence d'écrire les pensées qui se bousculent dans ma tête. Je ne garantis pas le résultat. Qui sait où cela me conduira ? Je pourrais devenir écrivaine et ne plus m'en faire pour mon avenir. Je pourrais même vendre un tas de livres qui me rapporteraient gros, tiens !

J'ai tendance à « m'abandonner à la folie des grandeurs », comme dit toujours ma mère quand nous avons ce genre de conversations. Passons donc aux choses « sérieuses ». Pour que ce soit efficace, je dois prendre quelqu'un à témoin. J'ai eu l'idée en regardant l'émission de télévision *Ramdam* : les acteurs s'adressent souvent à la caméra pour établir un lien avec le public. J'ai décidé que toi (cher lecteur), tu feras très bien l'affaire. Cela m'aidera peut-être à y voir plus clair les jours où rien ne va plus.

Es-tu prêt ? Je me lance…

Il n'y a pas si longtemps, je savais exactement qui j'étais, qui m'aimait et qui j'aimais. Mon univers se résumait ainsi : mes parents, solides comme le roc ; mon frère Éric, protecteur utile mais parfois agaçant ; ma famille, tranquille du côté des Blanchet, bruyante du côté des Renaud ; et, finalement, mes amies, seules alliées dans ce monde majoritairement adulte. J'étais heureuse. Je me promenais dans la rue, sans souci, jusqu'au jour (enfin, je crois) où je me suis intéressée de près aux « multiples possibilités du multimédia » (je cite, cette fois-ci, mon professeur de méthodologie de travail).

Avant, j'associais l'ordinateur aux tâches scolaires. Je l'allumais pour faire mes recherches sur Internet. Parfois, je jouais en ligne, mais je me tannais vite. Par beau temps, j'allais souvent me promener au parc avec mes amies. Sinon, je regardais un film en famille ou j'écoutais une émission de télévision avec ma mère. Comme toutes les filles de ma classe, j'observais les garçons. Ils étaient turbulents, stupides, ou les deux à la fois. Je ne les intéressais pas, et cela ne me préoccupait pas une seconde. Du moins, jusqu'à présent !

L'ordinateur trône toujours sur la table de travail de ma chambre, sauf que, maintenant, je m'en sers autrement. J'ai appris à utiliser MSN Messenger. Tu sais, c'est ce qui permet de discuter en temps réel avec nos amis qui se branchent sur le Web ? Au début, je n'y comprenais rien. Il a fallu que j'apprenne le langage des internautes. Par exemple :

T où ?	signifie	*Tu es où ?*
JTM	signifie	*Je t'aime*
Tk	signifie	*En tout cas*
A+	signifie	*À plus tard !*
Koi de 9	signifie	*Quoi de neuf ?*
Chu là dans 2	signifie	*Je suis de retour dans 2 minutes*
Keskon bouffe ?	signifie	*Qu'est-ce qu'on mange ?*
Dzl, jsuis OQP	signifie	*Désolé, je suis occupé*
Lol	signifie	*Laugh out loud*

Mais ne t'inquiète pas, cher lecteur, j'ai décidé d'épargner le débutant que tu es peut-être en traduisant dorénavant tout ce charabia en bon français. Mon prof serait fier de moi s'il savait… Malheureusement pour lui, tout ce que j'écris s'adresse uniquement aux gens de ton âge.

Où est-ce que j'en étais déjà ? Ah oui ! Au *tchat*.

Mon cercle d'amis s'est élargi depuis que j'ai commencé. Bon, ça y est, je vois d'ici la panique t'envahir. Ce n'est pas ce que tu crois. Ma mère, une femme très sage que j'écoute la majorité du temps, m'a déjà instruite des dangers que je cours à communiquer avec des inconnus sur le Net. Ils pourraient très bien tricher sur leur âge. C'est pourquoi les forums qui réunissent des internautes anonymes ne m'intéressent pas. Je préfère de beaucoup parler avec de vraies personnes, c'est-à-dire des filles et des gars (oui, oui, tu as bien lu, des « gars ») de mon entourage.

Laisse-moi t'expliquer comment ça fonctionne (si tu ne le sais pas déjà !).

Au début, tu communiques avec tes amis grâce au portail de MSN Messenger. Ceux-ci te fournissent les coordonnées de leurs amis. Puis, l'ami d'un ami devient un ami tout court, et ainsi de suite. C'est facile, pratique et la plupart du temps beaucoup moins gênant qu'en personne.

Mais, car il y a un « mais », je dois te prévenir : tu dois ABSOLUMENT préparer tes arguments pour les adultes. Ils ne comprennent pas l'utilisation qu'on fait d'Internet. C'est devenu une source majeure de conflits entre ma mère et moi. Elle prétend connaître les motivations inavouées des jeunes qui, selon elle, se cachent derrière leur écran afin de ne pas révéler ce qu'ils sont en réalité.

Je ne sais même pas qui je suis vraiment moi-même ! Quand je me regarde dans le miroir, je ne me reconnais plus. Imaginez le choc quand j'ai constaté que je dépassais ma mère d'au moins cinq centimètres ! C'est le monde à l'envers.

Depuis un an, j'ai pris cinq kilos. Je me trouve grosse. Ma mère pense le contraire. Elle parle de poids santé, calculs scienti-fiques à l'appui. Ne voit-elle donc pas que mes hanches et mes cuisses sont dispropor-tionnées ? Quand j'ose me comparer aux actrices de cinéma ou aux mannequins des magazines, ma mère répond tout de suite que, dans la vraie vie, ce n'est pas arrangé avec le gars des vues, même si Photoshop est là pour effacer les boutons à l'approche de mes règles... J'aimerais bien la croire ; j'aimerais surtout qu'elle arrive à convaincre mes amies... et tous les élèves de l'école, tant qu'à y être !

Je m'égare, là ! Revenons à nos moutons.

Ma mère peut penser ce qu'elle veut, la messagerie instantanée comme MSN fait l'unanimité à l'école. On en a besoin pour se défouler, s'amuser, faire de nouvelles rencontres... Je dis à ma mère que je m'en sers surtout pour obtenir de l'aide en ligne afin de faire mes devoirs. Cette excuse fonctionne un certain temps, jusqu'à ce qu'elle trouve que j'exagère.

Je me relis, et je me dis que je m'embrouille, que j'éparpille mes idées comme sur le brouillon d'une dissertation.

Bref, je change, et je ne sais pas encore si c'est en bien ou en mal. Lorsqu'un adulte me demande ce que je veux faire plus tard, je lui balance n'importe quelle réponse, car je n'en ai aucune idée. Ça m'angoisse. Est-ce normal ? Ma mère me traite d'ado, comme si cela expliquait tout. Alors, je me rabats sur MSN, qui est ma seule planche de salut. Et la cerise sur le *sundae*, même si j'ose à peine y croire, c'est que les garçons sont devenus pour moi une source de préoccupation majeure. Rien ne va plus, quoi !

J'achève ma quatrième année du secondaire. J'ai 15 ans. Je m'appelle Marie-Michelle Blanchet. C'est tout ce que je sais sur moi… pour l'instant !

Déjà paru

On m'a demandé de raconter mon histoire… Mais comment faire sans raconter la leur, celle de toutes ces voix que j'entends constamment ? Certains disent que je suis malade, que je souffre de schizophrénie. Moi, tout ce que je sais, c'est qu'à quinze ans, ma vie a basculé lorsqu'elles sont entrées dans ma tête et qu'elles ont commencé à m'humilier, à me blesser au plus profond de mon âme…

J'ai tout essayé pour les faire taire, les réduire au silence et me retrouver seule, enfin. Prières, jeûne, médicaments, alcool, drogues… Mais on ne vient pas si facilement à bout de la Grande Gueule et de sa hargne. J'ai voulu lutter, par tous les moyens possibles, mais c'est à ce moment qu'a commencé ma longue descente aux enfers.

Mon combat peut avoir deux issues : la mort ou… ailleurs.

*Brillante, talentueuse, hypersensible, Rubby veut simplement vivre. Vivre comme tout le monde, comme avant… Un roman coup de poing sur l'enfer de la **schizophrénie** qui ne laissera personne indifférent.*

-1-

Ses yeux, ses voix

Rubby, un mètre quarante-sept, vingt-cinq ans.

Elle est née à dix-sept-ans, dans les années 1990, dans une ruelle derrière la *Main*, par une soirée d'été magnifique. Une de ces soirées qui laissent présager un temps clément, idéales pour les soupers en plein air et les réunions entre copains, pour gratter une guitare et fumer un joint au pied du mont Royal.

Pour l'occasion, elle avait tracé une fine ligne de crayon noir sur ses paupières. Comme des centaines de minuscules particules de néant alignées côte à côte, ce trait rendait son regard éclatant et mystérieux. La pupille, encerclée de toutes parts de bleu acier, accentuait cet effet. Un visage anguleux, des pommettes haut perchées, le tout encadré d'une tignasse auburn. Elle était jolie et attachante.

Sa petite taille l'avait toujours irritée. On n'en finissait plus de la considérer comme une poupée de porcelaine. Comment prendre au sérieux un petit bout de femme dont les pieds ne touchaient même pas le plancher lorsqu'elle s'assoyait dans un autobus ? Elle demeurait convaincue que les villes étaient conçues pour les personnes mesurant plus d'un mètre cinquante-deux. D'ailleurs, l'avènement des magasins à grande surface lui donnait raison. Comment ne pas se sentir liliputienne devant les formats de rouleaux de papier hygiénique ?

En cette soirée d'août, elle portait un justaucorps noir et une jupe rouge. Un unique bijou ornait son oreille droite : un anneau en or contenant un minuscule Merlin.

Tout commença lorsque cet homme, un client potentiel, s'approcha. Quelque chose en elle se brisa, comme une explosion dans son crâne. Les mains moites, elle attendait à cette intersection que son mec lui avait désignée. Elle connaissait les règles, les signes révélateurs de la chasse.

Pourtant, son cœur s'emballa, à la façon du joueur de tambour mécanique qu'elle affectionnait tant lorsqu'elle avait sept ans. Elle remontait le mécanisme et le clown battait furieusement sur son instrument avec des baguettes rouges. Ce son rendait sa mère irritable. Aussi Rubby attendait-elle que celle-ci s'effondre sur le divan, cuvant son vin, pour jouer avec Max. Elle tournait la clé inlassablement, le maintenant dans sa petite main afin de bien sentir son vrombissement. Il semblait à la fois si fort et si vulnérable, empêtré dans son pantalon à rayures. À son contact, Rubby se sentait littéralement grandir, s'appropriant tout l'espace du salon. Dans ces moment-là, rien ni personne ne pouvait l'atteindre.

Quand l'homme se mit en mouvement dans sa direction, elle espéra bêtement, elle crut, que si ce bout de papier par terre, transporté par le vent, touchait son pied avant que l'homme ne l'atteigne, elle serait épargnée. Chimères et vains espoirs, car le papier ne bougea pas et elle dut, contre quelques billets, satisfaire les demandes de cet inconnu. C'est là, parmi les détritus, le sperme et la honte, qu'elle naquit.

Aujourd'hui, huit ans plus tard, Rubby s'est métamorphosée en une marionnette désarticulée. Au fil du temps, une épaisse couche de honte a voilé son regard. La fine ligne de crayon noir est devenu un masque grotesque emprisonnant ses yeux. Désormais, son maquillage couvre toute la paupière, s'étalant jusqu'aux sourcils, et termine sa course dans une large bavure sous l'œil. Lorsqu'elle ferme les yeux, on dirait deux orbites vides, deux ailes de corbeau. Son regard est aveugle et glacial, comme si ses yeux avaient trop vu, trop connu, trop entendu ses voix, sa folie. Sa démarche, autrefois souple et dansante, se limite à de petits pas secs et hésitants, à la façon des enfants lors de leurs premiers pas. Ses bras et ses jambes sont couverts de marques et d'abcès laissés par les seringues, véritable carte routière de l'enfer. Pour elle, ces marques, synonymes de silence, boycotteuses de voix, lui rappellent d'heureux moments, des endroits, des gens. Celle-ci, près de l'os de la cheville : chez Marc, dans son studio ; enfin le Silence. Celle-là, sur l'avant-bras droit : une soirée d'hiver dans le hall d'entrée du YMCA, derrière l'immense pot en grès. C'était rapide et risqué, mais combien libérateur ; merveilleux Silence, merveilleuse Paix. Un peu plus haut sur le même bras : un après-midi pluvieux avec Rosie et François, dont c'était le premier *hit*. L'aventure avait failli mal tourner… Il avait paniqué quand l'aiguille s'était brisée dans son bras, hurlant à s'en faire péter les cordes vocales. Un voisin, talonné du concierge, avait fait irruption dans l'appartement et menacé d'appeler les flics. Plus tard, Rubby avait enfin eu sa dose et, à nouveau, le Silence l'avait enveloppée, bercée, réconfortée…

L'amour à mort
Corinne De Vailly

Dernière station
Linda Corbo

100 %

Imprimé sur du papier 100 % recyclé